**О веселых приключениях
сыщиц–затейниц и их подруг
читайте в детективах
Маргариты Южиной:**

NRT

НОВЫЕ РУССКИЕ ТЁТКИ

Маргарита Южина

Дама непреклонного возраста

Москва 2006

УДК 82-3
ББК 84(2Рос-Рус)6-4
   Ю 18

Серия основана в 2005 г.

Южина М.Э.
Ю 18   Дама непреклонного возраста: Роман. — М.: Изд-во
      Эксмо, 2006. — 320 с. — (Новые русские тётки).

ISBN 5-699-14981-3

      Как там у классика: кто деньги украл, тот и старушку пришил. Сыщи-
   ца Зина Корытская об этом не сразу догадалась. А ведь весь театр нестан-
   дартной моды «Я не такая!» содрогнулся после таинственной гибели пре-
   старелой модели. Надо немедленно выходить на след преступника. Но
   как? Все Зине только вредят — а ведь должны помогать следствию! Может, все эти тощие, горбатые, пузатые нестандартные модели — целая
   банда?..

                                                  УДК 82-3
                                                  ББК 84(2Рос-Рус)6-4

ISBN 5-699-14981-3   © ООО «Издательство «Эксмо», 2006

Глава 1

Шалости быка–маньяка

Все дороги ведут в ресторан. По крайней мере Зинаиду Корытскую, молодую особу сорока с лишним лет, которая не один год проработала официанткой. Правда, недавно ее изгнали с места работы — новый директор не вынес высокого профессионализма Зинаиды, ее зычного голоса и яркой мужественной красоты. Ну да она и сама с ним не стала бы работать. Плешивый индюк! Набрал молоденьких клуш, а работать они так, как Зинаида, хаха! никогда не научатся. Как бы там ни было, Корытская бросила директора вместе с рестораном на произвол их безрадостной судьбы и теперь подыскивала работу. Конечно же, в ресторане, потому что больше она ничего не умела. Поэтому сейчас она и сидела со своей всеведущей подружкой Нюрочкой Тюриной в кафе «Французская лягушка», обряженная в ярко-красное платье с блестками, и терпеливо пыталась настроить ту на нужную волну. Нюрочка с волны все время соскакивала, на тему безработицы говорить не желала, а все время щебетала про своих многочисленных поклонников и одержимо жевала курицу. К слову сказать, Тюрина Нюра любила себя баловать, и единственное, чего у нее никогда не водилось, так это мужа. Этим и объяснялся ее речевой энурез по поводу поклонников.

— Нюр, немедленно брось курицу! Нам с этой порцией еще весь вечер сидеть, думай давай, куда мне устроиться? — толкала Зинаида подругу в бок. — Вспомни, у тебя же полгорода знакомых! Не может быть, чтобы кому-нибудь не пригодилась мудрая официантка за щедрую плату!

Нюрка старательно пыталась наколоть на вилку куриную шею, но скользкий продукт никак не подцеплялся, а от тычков Зинаиды и вовсе в конце концов выскочил из тарелки. Это выглядело крайне неэстетично, оттого Нюрка разозлилась:

— Ой, Зинк! Какая из тебя официантка? Не сходи с ума! У тебя же ни кожи, ни рожи, прости господи... Ой, Зин, я в хорошем смысле этого слова, — поняла, что зарвалась, подруга и тут же, забыв про курицу, защебетала: — Ну, ты же не девочка, чтобы перед клиентами титьки на подносе носить... Кстаа-ати! Я тебе не рассказывала про своего Шурика? Нет? Сейчас сражу насмерть. Это отпа-а-ад! Представь — такой весь из себя красивый, высшее образование, а вот так передо мной на колени упал и говорит: «Коварная! Зачем вы мне лгали, что вам тридцать? Вам еще нет двадцати! Сожгите меня своей любовью! Сожгите!» Представь!

— Так может, он уже старенький, в крематорий просился? — думая о своем, ляпнула Зинаида.

— Ты чо, совсем?! — обиженно выпучилась Нюрка. — Он только из армии пришел! Еще даже лысый весь, обрасти не успел, у него по всей спине наколки армейские: «Хлеба и напильник!» Знаешь, какой горячий!

Зинаида была настолько обеспокоена своими проблемами, что нарушила святое правило: все, что говорила подруга, требовалось принимать всерьез, восхищенно ахать, хвататься за щеки, завистливо щурить глаза и не предавать ни малейшему сомнению. Лучше всего ненадолго отправиться в обморок от удивления, потому что, только «сразив насмерть», Нюрка могла выслушать других и даже иногда помогала по мере возможностей. А возможности у Тюриной были богатые. Когда-то, в молодые годы, она вместе с Зинаидой работала в ресторане, но вовремя перескочила в валютный ресторан. В период издевательства над рублем, то есть стремительного взлета доллара, Тюрина немало повертелась: где-то чем-то торганула, где-то что-то вложила и теперь давно уже считалась очень состоятельной дамой. Правда, как было уже сказано, незамужней. Отчего-то никакие деньги не могли приклеить к Тюриной мужиков больше, чем на два дня. Отсюда и появлялись восторженные байки про Шуриков (Юриков, Вадиков, Толиков и пр.), которые упрямо не хотели давать сорокапятилетней шалунье «больше двадцати». Слушать байки необходимо было с раскрытым ртом. Однако сегодня Зинаида поступила не по-товарищески — вероломно нарушила правила игры. Ее счастье, что она вовремя спохватилась:

— Подожди-ка, Нюра! Что ты говоришь? Лысый? С наколками? Тогда это непременно дипломат какой-нибудь, уж поверь мне, — догадалась округлить глаза Зинаида. — Или даже нет, не дипломат. Нефтяной магнат! Они все стригутся налысо, чтобы ум просвечивал. Честно тебе говорю, по телевизору рассказывали, к нам какого-то магната в город наводнением занесло... И что, так прямо на коленях и ползал? Ну, еще бы! Понимал, паразит, что у тебя квартира в центре города! А цветами не обсыпал? А замуж звал? А ты что?

Нюрка успокоилась — Зинаида в очередной раз была сломлена красотой подруги, поэтому можно было расслабиться. Она забыла про тарелку с курицей, вытянула ноги в хорошеньких замшевых сапожках, блеснула перстеньком и затянулась сигареткой:

— Ой, ну конечно же обсыпал, и замуж звал, и в ресторан водил... Кстати, а что ты там про работу спрашивала? Не можешь устроиться, что ли? Официанткой, что ли, опять собралась? И не надоело тебе на чаевые жить?

Зинаида фыркнула:

— Нет, ну ты молодец! А на что жить-то? У меня же нет залежей в банке. И директором меня никто не приглашает. — Она возмущенно поправила на груди платье, чтобы посильнее сияло, и надула губы. — Даже официанткой не берут, говорят — возраст. Прошу же, нажми на своих знакомых!

— Ой, да на кого там жать... — брыкнув ножкой, отмахнулась Нюрка. — Все уже отжаты на сто рядов... Хотя...

И вот в тот самый миг, когда Тюрина уже созрела для дружеской поддержки, к столику к дамам нетвердой походкой подрулил неизвестный субъект. Субъект был мужского полу, благородного пенсионного возраста, в ярко-зеленом клетчатом пиджаке и с темными очками на сизом носу. Вероятно, его притянул к столу блеск Зининого платья.

— Деву-шки! — качнулся субъект и грохнулся на свободный стул. — П-позвольте вам от... отпустить комплимент! Вот вам! — Он ткнул острым пальцем прямо в сияющую грудь Зинаиды.

— Ой, шли бы вы, честное слово, с комплиментами... — шибанула его по рукам Зинаида и снова уставилась на подругу. — Нюр, ну кому ты там позвонить хотела? Вот так надо, так надо...

Субъект в зеленом бурно вознегодовал от такого невнимания. Он щелкнул пальцами и заверещал на весь небольшой зальчик «Французской лягушки»:

— Человек! Челове-е-к! Про... попрошу ваше фирменное блюдо! Французскую лягушку! Девочки, не суетитесь, все за мой счет!

«Девочки» вытаращили глаза, а незваный гость вальяжно вынул из клетчатого кармана новенький толстенький бумажник и уткнулся в него черными очками.

— Нюр, ну чего ты в этого глухаря вперилась? Давай звони, людям нужны официанты, у тебя же есть мобильник, — опомнилась Зинаида и снова прицепилась к подруге. — Я бы прямо завтра устраиваться и начала.

Но Тюрина уже забыла про все мобильники на свете, в ее глазах отчетливо горело: «Внимание, мужчина! Ничей!» Вернее, глаза у нее сделались игривыми, лукавыми и, как пишется в газетах, многообещающими. Она просто обливала неожиданного кавалера своими чарами и обаянием. Однако кавалер так увлекся собственным бумажником, что на некоторое время забыл, с кем находится.

— Манька, стервь! Опять по карманам лазила?! — буйно вскрикнул он, треснул по столу кулаком и снова обнаружил незнакомых дам. — Де-вочки-и-и! Эт вы по... вызову, что ль? Обсс... крх... обсс... обосс... Обсслужить... — Затем долгожитель бормотнул что-то еще и вдруг выдал: — Ах! Обслужить меня несложно... сам обслужива... юсь, гад!

Зинаида собралась было прямо за шкирку выкинуть ухажера из-за столика, но Нюрка неожиданно клюнула ей в ухо и зашептала:

— Ты это, Зин... ты бы шла домой, а? Времени уже черт-те сколько, а тебе ведь еще добираться! Иди давай, ну!

— А... а как же работа? — вытаращилась на нее Зинаида.

— Ну, чего работа, чего работа? — зашипела Нюрка, запихивая в сумку подруги недоеденную курицу прямо вместе с тарелкой. — Ты мне сказала, я подумаю. Я же не буду сейчас, из ресторана звонить, записную книжку надо полистать. Ну, иди давай... Вот ведь не сдвинешь ее! Еще в платье этом, как стоп-сигнал прям... Так вы говорите, что я мечта всей вашей жизни? — уже вглядывалась Нюрка сквозь темные очки престарелого ловеласа. — Не спа-а-ать, не спать за столом! На даму смотреть!

Зинаида все же не решалась оставить подругу одну в кафе, тем более с таким подозрительным господином.

— А... а этого куда? — снова влезла она в медовую беседу Нюрки и кивнула на мужчину. — Может, охрану вызвать?

Нюрка сделала страшные глаза и зашипела еще ожесточеннее:

— Ты чо, больная?! Он тебе мешает, что ли?! Ты не слышала — человек лягушку заказал. Могу я себе позволить съесть жабу на пару с приятным мужчиной? Ну чо ты сидишь, я не понимаю! Иди, говорят же тебе!

Зинаида глубоко вздохнула и поднялась. Она хотела испепелить подругу презрительным взглядом, однако та на нее уже не смотрела, а снова заглядывала в очи пенсионера и бессовестно царапала ноготком его узловатые пальцы: «Нет уж, вы не засыпайте, вы хотели сказать комплиме-е-ент! Повторяйте: ваши глаза, Нюрочка, как изумруды...» Можно было только надеяться, что Нюрка и в самом деле полистает дома записную книжку.

Зинаида звучно фыркнула, ее благополучно никто не заметил, и ей только и оставалось, что гордо пройти в гардероб за курткой.

На улице угасало бабье лето. Дни еще стояли теплые, но ночи уже пугали холодом. Однако куртку надевать не хотелось. Не из-за жары, конечно, а просто потому, что серая толстая курточка слабо гармонировала с длинным и узким платьем, которое при свете фонарей сверкало как-то особенно крикливо и вызывающе.

— А, — махнула рукой Зинаида. — Поймаю машину, а там уже и куртку надену.

Она вышла на середину дороги и изящно, точно балерина в «Лебедином озере», выгнула руку коромыслом. В этой «лебединой» позе она простояла добрых двадцать минут — машин не наблюдалось. Еще не было и полуночи, им бы ездить да ездить, но автомобили сегодня как вымерли.

— И потянуло меня в эту «Лягушку»! Надо было в центре что-нибудь выбрать... Вот всегда так: выпадет какая-нибудь деталька из мозгов, мелочь не продумаешь, а потом мучаешься...

Зинаида лукавила. Она как раз наоборот тщательно продумывала эту мелочь, и богом забытое кафе было выбрано исключительно как самое дешевое в городе. Здесь всегда была приятная музыка, очень неплохая кухня, даже и правда лягушек готовили, но находилось заведение на самой окраине города, вдалеке от дороги — с одной стороны к «Лягушке» подступал старый парк, а с другой догнивали цеха заброшенного комбината. Добираться сюда было делом непростым, легче было прийти пешком из ближайшей деревни, нежели завернуть из города на ужин. Зинаиду это не слишком пугало — у Нюрки был свой автомобиль. Напиваться подруга не любила, вывезла бы из захолустья после ужина. А вот как вышло!

Корытская решила в последний раз махнуть рукой и уже вернуться в кафе, как на дорогу откуда-то из придорожного откоса выплыло темное, бесформенное нечто — большая шевелящаяся тень. Зине поначалу показалось даже, что какой-то горе-водила толкает под зад своего железного друга до ближайшего автосервиса. Только немного позже, когда странная тень совсем приблизилась, женщина поняла: на нее двигалась заблудившаяся группа крупного рогатого скота — две молоденькие упитанные коровки и матерый здоровенный бык.

Зинаида крайне редко общалась с мясо-молочным скотом, поэтому решила на животных внимания не обращать. Она вот так и стояла — переступая ногами на высоких каблуках и плавно изгибая руку. Даже голову в сторону отвернула, дабы молодые телочки не подумали, что она может позариться на их мужчину. Группа подошла еще ближе, и тут произошло непонятное: бык вдруг пригнул голову к земле, страшно взревел и, набирая скорость, кинулся на голосующую Зинаиду.

Первое, что додумалась сделать Зина, это скинуть туфли. А потом думать было уже некогда. Инстинкт самосохранения швырнул ее в сторону от дороги, и она понеслась в темень, высоко задрав узкое платье и работая ногами, будто олимпийский спринтер. Бык не отставал. Уж неизвестно, чем его так взбесила скромная персона Зинаиды Корытской, но он явно твердо решил даму догнать, растерзать и изничтожить. И женщина смутно догадывалась о его желаниях. Она лихо мелькала между деревьев и кустов, прибавляла скорость и вроде бы даже совсем оторвалась от погони, но тут земля круто ушла вниз, Зинаида покатилась под горку, долбанулась головой о толстый ствол какой-то коряги, глухо вякнула и затихла.

Она даже не успела как следует потерять сознание, просто упала и какое-то время не двигалась, только часто, прерывисто дышала. Ступни болели так, будто она проходила практику у йога и плясала на раскаленных гвоздях, о блестящем платье можно было забыть, но, главное, от удара раскалывалась голова, и даже ныть от боли не было сил. На миг ей показалось, что быка уже нет, — так тихо было в ночном мраке. Только где-то далеко-далеко слышался звук невидимого вертолета, да в ушах гудело от непривычной физкультуры. Зинаида размякла. Тут ей вдруг отчетливо замычали прямо в ухо, и что-то холодное ткнулось в ногу.

— Мама-а-а-а! — завизжала Зинаида и поджала ноги к груди.

Бык маячил где-то вдалеке, направлялся к брошенным подружкам, а возле ног Зинаиды копошилась какая-то черная куча тряпья. Куча вытянула откуда-то руку и пыталась ухватиться за ногу Зинаиды, у нее даже остался грязный след.

— Ой-й-й-й! Боже мой, это еще что?! — отскочила от кучи женщина.

Куча снова заворочалась и издала страшный звук.

— Вот только не надо мычать, — поспешно предупредила Зинаида. — Сейчас тот крупный рогатый вернется, подумает, что я знакомого быка пригнала на разборку... Тогда мне тут и конец. Кто ты? Кто мычит-то?!

Куча не шевелилась, и Зинаида отважилась подойти ближе.

В скупом свете луны она разглядела странное существо. Скорее всего, это был человек, потому что имел две руки, две ноги, голову и даже туловище. И все эти руки-ноги были щедро измазаны грязью. Да, это был человек, но мужчина или женщина... Судя по платью, все же женщина. Платье было вызывающе коротким, с целой гирляндой рваных тряпочек, воланов и черных кружев, отчего и смотрелось кучей. Оно было напялено поверх джинсов, а вот те были мужскими. И все же... Голые руки, на спине топорщится что-то вроде горба, а большая нелепая грудь опустилась вниз, чуть не до живота... А вот голова явно принадлежала молодому парню — короткая, рваная стрижка, черты лица... Но черты лица трудно было разглядеть, так уродливо оно было раскрашено — огромный черный клоунский рот уходил к шее, все вокруг глаз черное, а изо рта... Господи! Да это кровь! И раны! На руках, на ногах...

— М-м-м-м... — снова застонал ворох тряпья.

— Ты кто? — побледнела Зинаида. — Ты как здесь? Кто тебя? Слушай! Тебя же к врачу надо! Ты полежи, я сейчас в кафе сбегаю, «Скорую», милицию...

— ...амой...

— Что ты говоришь? — наклонилась Зинаида ближе.

— Ххх, — тяжко выдохнул человек, с трудом облизал страшные губы и постарался четко произнести: — Домой. Никуда... нельзя. Домой.

Видимо, на большее у человека сил не хватило, потому что он откинулся и даже, кажется, прекратил дышать.

— Эй, ты чего? — тихо позвала неизвестного Зинаида.

Тот не отвечал. Он как-то весь обмяк и теперь вовсе не подавал признаков жизни.

— Эй, дружок! — испугалась Зина. — Ты чего это, откинуться тут решил? Ну, молодец, хорошо придумал! А я, значит, здесь одна буду, с покойником! Куда тебя домой-то? Адрес скажи! Нет, ну куда я тебя поволоку-то? Эй, парень! Девушка! Как тебя? Куда тащить-то?

Она уже чуть не плакала. Что-то подсказывало ей, что вот эта куча прямо здесь, на ее руках, сейчас переходит в мир иной.

— Да ты что? — затормошила она кучу. — Хочешь, чтобы меня по милициям затаскали? Я потом как объясню, отчего у меня такое платье рваное? Ну-ка, просыпайся!

Просыпаться несчастный не торопился. Зинаида трясла бедолагу, как грушу, пыталась поднять... Все было напрасно.

— Ну ладно, ладно... Сейчас я тебя тут оставлю, а сама позвоню в милицию. Полежи?

Она чувствовала себя почти преступницей — вот так убежать, бросить погибающего человека... Но что делать? Она одна его точно не дотащит. Сейчас она положит ему удобно голову, платьице одернет...

Неожиданно рука натолкнулась на маленькую коробочку. Телефон! В кармане джинсов оказался сотовый телефон!

— Вот это другое дело, — радостно передохнула Зинаида, разглядывая гладкий аппаратик.

У нее такой тоже был, пока в автобусе из кармана не вытащили. Ну, не совсем такой, и все же... Она принялась нажимать кнопки, и наконец на экране высветилась «записная книжка».

— Так... Какой-то Паша, Валентина Петровна... Ага, вот и то, что нужно, — «дом»!

Уже через секунду она кричала в трубку невидимой женщине:

— Я не знаю, кто это! Я просто нашла человека в парке...

— Вадик! Сынок, ты где? Куда пропал? — не давала вставить слово женщина. — Вадик, это ты?!

— Я не знаю! — уже злилась Зинаида. — Я не знаю, Вадик это или нет! Я вам говорю: нашла человека, у него в кармане был телефон, и вот звоню!

— Где? Где этот человек? Где вы? — истошно кричала женщина из телефона.

— Успокойтесь. Записывайте, мы находимся... Нет, вы нас так не найдете. Вот что, подъезжайте к кафе «Французская лягушка» и медленно езжайте вдоль парка. Я вас буду ждать на дороге. Только поторопитесь!

Вероятно, женщина поняла, что кричать не время, потому что совершенно четко произнесла:

— Встречайте меня через двадцать минут. Не бросайте его, я сейчас буду.

И в трубке послышались гудки.

— Так значит, тебя, похоже, Вадиком зовут... Эх, черт, куртку я свою куда-то подевала, тебя бы укрыть сейчас...

Куртку Зина и в самом деле бросила еще тогда, когда неслась от быка. И о чем думала? Голова совсем не работала, можно же было прибежать в кафе, вытянуть Нюрку и пусть бы она довезла парня до больницы... Зинаида посмотрела на свое ободранное платье и вздохнула. Пожалуй, теперь бы в «Лягушку» ее не пустили.

Женщина на темной «девятке» уже через пятнадцать минут затормозила возле окоченевшей Зинаиды.

— Где он? — выскочила она из машины.

— Пойдемте, я вас проведу, я его... Слушайте, — подпрыгивала от холода и вдруг затормозила Зинаида. — А вы не... Татьяна! Боева, ты, что ли?!

Татьяну Боеву Зинаида Корытская знала весьма неплохо. Правда, не видела ее уже лет пятнадцать... Да нет, семнадцать, наверное. Женщина взглянула на Зинаиду и мотнула головой:

— Я. Привет, Зина. Где Вадька?

Неизвестно отчего, Зинаида страшно обрадовалась, засуетилась, стала хватать Татьяну за руки и разъяснять подробности:

— Представляешь! Я тут в «Лягушке» была... Да мы с Нюркой вместе! Слушай, она сейчас та-а-акая... м-да... А потом... короче, на меня накинулся бык... а я как давай убегать, а потом споткнулась, а меня за ногу кто-то хвать... А я... Вот он. Твой, что ли?

Они уже подошли к человеку. Теперь он перевернулся на спину, и луна ясно освещало страшно разукрашенное лицо.

— Вадик! — крикнула Татьяна и замолчала, только глаза сощурила и прикусила губу.

Парень приоткрыл глаза.

— Тань! Ну, чего ты столбом встала? — толкнула знакомую Зинаида. — Парня в больницу везти надо, а ты как замороженная!

Татьяна швыркнула носом, содрала платье с паренька, вместе с нарядом отвалились и горб, и огромная грудь, а вместо этого обернула Вадика в свою замшевую куртку.

— Зин, он не дойдет, помоги, а? Только подожди, я машину прямо сюда подгоню.

Парня осторожно уложили на заднее сиденье, и Татьяна кивнула:

— Садись, до города доброшу, а там уж извини, в больницу надо.

— Да-да, я понимаю... — взгромоздилась Зинаида рядом с водителем. — Я там уж сама как-нибудь...

Зинаида и не помнила потом, как добралась до дома. Кажется, довез какой-то вусмерть пьяный лихач, но после того, что ей за этот вечер пришлось пережить, поездка с ним была не самым тяжким испытанием.

Несмотря на поздний час, окна в ее доме горели теплым светом, хозяйку ждали.

— Зинаида Ивановна, — встретила ее молоденькая соседка Юля прямо у порога. — Я Мурзика кормила, а он все равно плачет и плачет. Думаю, его надо с киской познакомить. Может, объявление в газету дать? Знаете, я читала, столько кисок себя предлагают... Ой, у вас такой вид... вы так всключены... — Девчонка мгновенно сделалась траурно-торжественной. — Я полагаю, у вас серьезные жизненные перемены. Мне ничего не надо рассказывать, я все вижу, как рентген. Вас изнасиловали!

Зинаида чуть не наступила на любимого кота от Юлькиных выводов.

— Юля! — свекольно зарделась она. — Сколько тебе раз говорить — даже не надейся! Да кто б решился? Это я...

— Понимаю! Тогда, значит, вы немного напились и буянили. А где ваша куртка? Ага! Вы ею дрались! — не мигая, продолжала догадываться девчонка. — Уважаю!

— Да я...

— Не надо оправдываться! В вашем возрасте такое поведение — это супер! — тряхнула гладкими волнами прически Юлька и добавила: — Я бы на такое никогда не отважилась. А я борщ сварила, непременно угощайтесь! Прямо сейчас же и за стол!

— Подожди, Юля. Я немножко в себя приду и вместе угостимся...

Зинаида подхватила халат и нырнула в ванную. Под теплыми струями она постаралась успокоиться и о происшествии не думать. Правда, появилось неуютное чувство: а вдруг парень не выживет, и Татьяна, хоть и давняя знакомая, подумает про Зинаиду черт-те что? Кажется, она не поверила в рассказ про быка. Хотя, нет, Татьяна поверит. Она именно такой человек, который верит чему угодно. Зинаида вспомнила Боеву и невольно улыбнулась.

В первый раз судьба свела их еще десятилетними девчонками, в пионерском лагере. Каждое лето мама Зиночки писала в профком заявление, и ее дочка отправлялась в летний лагерь со звучным названием «Пламя». Правда, какой-то негодяй вместо одной буквы краской написал на вывеске другую и получилось название «Племя», но на отдых это не влияло. Там же набиралась здоровья и верткая девчушка с огромными глазами — Танечка Боева. Энергия из Танечки извергалась вулканом, она была доверчива и готова отдать последнюю карамельку другу, за что ее и любили в отряде. Однако еще выше взлетел авторитет Боевой, когда в лагере объявили конкурс всех отрядов на лучшую театральную постановку. Конечно же, все ребята активно захотели стать артистами, и только Таня взяла на себя еще и функции режиссера. Наивные пионервожатые, видя, что Боева перекинула свою прыть в мирное русло, даже не совались в палату, где теперь постоянно собирались актеры и репетировали одну им известную постановку.

— Ой, не лезьте вы к ним, — отгоняли они остальных ребят от палаты. — Они готовятся к конкурсу! Будут честь нашего отряда защищать, не мешайте!

И им не мешали. Театрализованное представление решили показать в родительский день. Именно тогда, при полном собрании трепетных мам, благочестивых бабушек и растерянных отцов, грянул гром.

Нет, когда выступали первые отряды и весело скакали «Колобками», «Репками» и «Козой с семерыми козлятами», взрослые прикладывали к глазам платочки от умиления. Но когда подошла очередь их пятого отряда, произошла неприятная неожиданность.

На самодельную сцену вышла Танечка Боева, в белой форменной рубашечке и с галстуком, и звонко объявила:

— Постановка пятого отряда. Отрывок из произведения классика «Яма». О тяжелой доле проституток на русской земле.

Дальше Зинаида никогда не любила вспоминать. Она вовсе не виновата, что ей досталась видная роль. Между прочим, Боева себе вообще главную роль взяла. Да им и выступить-то толком не дали. На этом лагерно-оздоровительный сезон закончился для нее, еще для пары-тройки ребят, для Танюши Боевой, а также для пионервожатых и директора лагеря. Больше Зина в «Племя» не ездила.

Вторично с Боевой они встретились уже в ресторане «Летающая тарелка», когда им обоим катило к тридцати. И Зина, и Таня были молодыми замужними женщинами, воспитывали ребятишек, а в свободное время искали модные сапожки или вздыхали о вельветовых джинсах «Вранглер», как все тогда говорили. Зинаида только устроилась, а Боева уже месяц работала официанткой. Они подружились и, может быть, стали бы близкими подругами, если бы... Сойтись ближе они просто не успели.

В один из праздничных вечеров банкет для своих сослуживцев заказала супруга директора ресторана — Ирина Дмитриевна. Ирина Дмитриевна была молода, капризна, зверски хороша собой и работала стюардессой. Своим скромным экипажем они и решили отметить праздник. Естественно, мужья и жены до стола допущены не были. Директор «Летающей тарелки» Игорь Семеныч свою персону жене тоже навязывать не стал, но персонал предупредил, чтобы супругу с сотоварищи обслужили по высшему классу. По высшему классу обслуживала Татьяна. Праздник шел по накатанному сценарию — сыто, пьяненько и весело. К Ирине то и дело приклеивались тощие сотрудники, вероятно, пилоты. Они тыкались слюнявыми губами ей в шею и смачно всхрапывали. Ирина игриво дергала плечиками, наглецов не отгоняла, зато каждый раз, честно тараща глаза, обращалась к официантке Татьяне:

— Ой, эти летуны такие шалуны, право слово! Все шуточки и шуточки, хи-хи! Но мы ведь с вами знаем, нам совсем не надо об этом говорить Игорю Семенычу, мужчины ничего не понимают в юморе. Будем немногословны.

Когда она в двадцать пятый раз притянула Боеву к себе и защебетала ей в ухо про немногословность, замотанная Татьяна отмахнулась:

— Ой, да тискайтесь вы сколько угодно! Когда сам Игорь Семеныч гуляет, тут у всех баб лифчики трещат! Детей дарит направо и налево! Чего бояться-то?

На следующий день Игорь Семенович лишился семейного очага, а Татьяна Боева, автоматически, места работы. Ну, не везло человеку, хоть плачь! А что поделать, если карма такая? После Зинаида слышала, что Боева развелась и осталась одна с сыном, а потом женщины как-то перестали интересоваться друг другом. И вот тебе на! Такая встреча! С сыном Татьяны произошло несчастье, а Зинаида совсем случайно на него свалилась...

Нет, надо было непременно успокоиться. Зинаида вышла из ванной, подхватила кота, который сразу же старательно принялся урчать, и прошла в свою комнату. Расстелившись на диване, она ворчливо выговаривала Мурзику:

— И как же, Мурзон, тебе не совестно? Ты на Юльку посмотри! Кисок ему по объявлению! Ох, не слышит этого Степанида Егоровна... Забыл, как недавно жил?

Недавно, всего месяца три назад, все было по-другому. В коммуналке, где сейчас хозяйничала Зинаида, проживали тогда три семьи: Степанида Егоровна, скандальная женщина в возрасте, со своей сорокалетней дочуркой Любочкой, затем Федул Арнольдович, липовый научный работник, да она, Зинаида. Тогда ее никто не приглашал к столу и не ждал с борщами, а даже напротив — всякий из соседей старался стянуть из ее холодильника кусок пожирнее. Но дружбы это не портило, а уж что они вместе пережили... Такое происшествие тогда стряслось, страшно вспомнить, но зато все закончилось благополучно. Любочка вышла замуж и уехала в деревню, Степанида Егоровна немедленно собрала вещички и потряслась вслед за молодыми, дабы проследить, как идет строительство коттеджа. Коттедж строить так еще никто и не надумал, но пожилая женщина успокоила молодых — она-де не торопится, подождет в деревне, на молочке и сметанке. А вскоре Федул Арнольдович загремел по уголовному делу, и в его комнату Зинаида впустила квартирантов — Юлю с мужем Игорем, молодую семью. Сама же Зинаида в ходе событий обрела преданного сердечного друга — Игнатия Олеговича, между прочим, отличного хирурга, хоть и по фамилии Плюх. Правда, ни он, ни сама Зинаида ни за что бы не сознались, что испытывают друг к другу привязанность. Зинаида всегда объясняла свои наклонности тем, что «врачи — такие непредсказуемые люди, никогда не узнаешь, от чего тебя лечить надумают, хочется хоть одного изучить опытным путем». Плюх же изъяснялся проще: «Все время больные да больные... Хочется эдакой здоровой, крепкой непосредственности! Пусть даже глупости, но хочется!» Их отношения были валкими и шаткими, и неизвестно, до чего бы доразвивались, если бы Плюху не вызвали на какой-то важный симпозиум в Мюнхене. Что там будет после его возвращения, Зинаида боялась загадывать, но на всякий случай подыскивала себе работу. Нет, у нее, конечно, имелась родная дочь Настенька с мужем Сашей, ребята любили мать и заботились о ней, как могли, но Зинаиде как-то не хотелось жить исключительно их заботами, душа просила воли и независимости.

Кот заворочался и стал тыкаться в волосы хозяйки. Но, видимо, что-то его насторожило, потому что котяра демонстративно начал чихать прямо в лицо Зинаиде.

— Ну уж, знаешь, милый! — обиделась та и сбросила наглеца на пол. — Запах тебе не нравится? Да, я валялась в парке, под деревьями, в грязи. Но я уже помылась. А знаешь, что я пережила? И вообще, если бы у парня не оказалось телефона, я бы вообще до Татьяны не дозвонилась, и неизвестно, чем бы все закончилось!

Кот принципиально пялился в стену.

— А, ты не знаешь, кто такая Татьяна? — продолжала просвещать друга Зинаида. — Это моя знакомая. Мы, когда молодые были, в ресторане вместе работали — я, она, Нюрка Тюрина... Ну, ты же знаешь Нюрку! А Татьяна вместе с нами работала, официанткой. И вот это ее Вадик там в кустах оказался... Нет, а какова Нюрка! Вот сволочь! Ой, заткни уши, Мурзик. Бросила меня, вытолкала из ресторана, а всего навсего из-за какого-то старика. Прям, даже разговаривать с ней не хочется. Нет, завтра позвоню и все выскажу!

В дверь вежливо постучали:

— Зинаида Ивановна, борщ стынет.

— Юленька, — появилась в дверях Зинаида. — Времени уже три часа ночи. И чего тебе не спится, скажи мне?

Девчонка вытаращила хорошенькие глазки и тоном классной дамы проговорила:

— Какой же сон? У меня вон сколько журналов накопилось, а еще газет купила, вырезки сделала, все проработать нужно. Кстати, я и вам журнальчики приготовила. Там статейка такая есть, как заставить мужчину жениться...

— Юля, все завтра... — вымученно улыбнулась Зинаида и, даже не попробовав борщ, удалилась отдыхать.

Статейку Юлька притащила в семь утра.

— Зинаида Ивановна, — затарабанила она в дверь, — вам срочно нужно со статьей ознакомиться! Вдруг к вам какого мужчину занесет, а вы научно не подкованы? Зинаида Ивановна!

Зинаида высунула из приоткрытой двери заспанное лицо, выдернула из руки девчонки газету и зыркнула глазами:

— Юля! До десяти утра я не Зинаида Ивановна, а дракон! Еще раз постучишь — разорву!

Юлька испуганно поморгала глазами и убежала на кухню обиженно греметь кастрюлями. Но статейку Зинаида все-таки прочитала.

Ровно два дня она пыталась себя загрузить чем

угодно, только бы отогнать неприятные мысли. На третий день ее терпение лопнуло, она подошла к телефону и набрала номер Нюрки Тюриной.

— Тюрина! — сразу ухватила она быка за рога. — Ты, конечно, о моем трудоустройстве и не вспомнила?

— Ой, а кто это? Не понимаю, кто со мной разговаривает? — загнусавила Нюрка, прекрасно понимая, кто ей звонит.

Была у нее такая манера — оттягивать время, чтобы выдумать красивую легенду.

— Ну, правильно, где тебе понять! Меня из «Лягушки» вытолкала, даже до дому не довезла... Хорошо еще, что у Таньки Боевой с сыном несчастье приключилось — так она меня докинула до города, а так бы... Меня, между прочим, бык чуть не укусил! А все из-за тебя! — выкрикивала в трубку Зинаида.

— Ой, постойте! Зина, это ты, что ли? Ну надо же, какое счастье! — воскликнула Нюрка радостно. Вероятно, легенда у нее созрела. — А я только-только хотела тебе звонить. Ты знаешь, у меня для тебя перспективная работка нашлась. Правда, не знаю, согласишься или нет...

— Чего ж я на перспективную-то не соглашусь? — сбавила обороты Зинаида. — Что за работа?

— Так санитарочкой, в поликлинике. А что? Между прочим, если немножко подучиться, то и врачом запросто можно потом...

Зинаиду перекосило.

— Нюрочка, как это ты понимаешь — на врача «немножко»?

— Ой, ну я тебя умоляю! Как я понимаю? Да обыкновенно. Вон, книжку взяла... сейчас каких угодно полно самоучителей... И работай. Ах да, тебе ж диплом нужен... Ну, знаешь, можно курсы какие-нибудь пройти.

— Все, Нюрка! Больше мне не звони! Я не буду слушать про твоих дурацких недоумков, которые от любви с балкона на дерево прыгают...

— Наоборот — с дерева на балкон, — чуть не плача поправила Нюра.

— Для мене уже неважно. Я не верю! И тебе уже никто не дает двадцать лет! Тебе даже сорока не дают, потому что тебе сорок пять!

Зинаида мстительно бросила трубку и пошла к себе. За ней молчком двинулся Мурзик, а за Мурзиком, с полной миской свежего молока, поплелась Юлька. Зинаиде сопереживали все, но от этого ей легче не становилось — работы для нее не находилось, сбережений не было, а значит, впереди ее ожидало скупое, безденежное будущее.

— Не понимаю, Зинаида Ивановна... — тихо начала Юлька. — И чего вы на этих официантках зациклились? Вон на рынке все время продавцы требуются. И работа такая... Все время на свежем воздухе, витамины кругом, если повезет с фруктами работать. Опять же — с людьми работа, общение, положительные эмоции. У меня подружка работает, шмотки продает, так ничего, не обижается. И одета всегда, как манекен. А чего — сама поносила, продала. Куда идти приспичит — взяла костюмчик да надела, а назавтра снова притащила продавать. Не нарадуется! А вы — в официантки...

Зинаида покосилась на квартирантку — не врет ли?

— Не, ну я правду говорю! И всегда уволиться можно, если что не так! Опять же — клиента какого навороченного обсчитать, или там сдачу не дать, тоже деньги... Да вы сами посмотрите — все старушки работают!

Старушки, может, и работают, но Зинаида, во-первых, далеко не старушка, а во-вторых... а во-вторых... Хотя, впрочем, почему бы и не попробовать?

Через день она уже стояла на Колхозном рынке и трясла кроличьей шапкой:

— Шапочки! Кроличьи! Ушки закрыты, темечко в тепле, лобик закрыт! Если есть желание, и на нос можно натянуть! Шапочки! Шапочки!

Полмесяца она клоуном скакала возле своей палатки, обряженная в кривоватую клочкастую шапку местного пошива, пока ее кто-то вежливо не тронул за локоток:

— Зинаида, а я никак не могу тебя дома застать... Зиночка, сними это уродство!

Перед ней стоял Игнатий Плюх. Мужчина, с которым она планировала жить долго-долго и даже готова была умереть в один день. Она так ждала его! А он... даже не позвонил! Даже не пришел! Заявился на рынок, специально, чтобы... чтобы она вот в этой шапке перед ним... Наверное, от нервного перенапряжения у Зинаиды в голове что-то переклинило.

— Игнатий... а почему ты... а чего это тебе шапочка не нравится? — задиристо вздернула она голову. — Я бы на твоем месте купила!

— Зин, может, ты оставишь этот балаган? Поедем ко мне, посидим... Между прочим, я только позавчера вечером приехал, искал тебя, искал... Да сними ты это убожество! Мне Нюра Тюрина сказала, где тебя найти можно.

Он стоял такой ухоженный, ароматный... и совсем чуточку чужой. Раньше таким не был. Прекрасный хирург, весьма состоятельный человек, настолько увлеченный своей работой, что на остальное ему просто жалко было времени. Это Зинаида его научила одеколоном брызгаться, а вот теперь пожалуйста — Нюра ему, видишь ли, сказала... Ну, подруженька! Не женщина, а капкан для неженатых идиотов, честное слово. И ведь до чего обидно — сама же и ткнула эту подруженьку в Плюха. Но ведь у Зинаиды и в мыслях не было их сводить для сердечных интересов! Кстати, а не к нему ли Нюра хотела пристроить ее санитарочкой?

— А где, простите, вы с Нюрой виделись? — не удержалась Зинаида. — Я не из ревности любопытствую, она мне денег задолжала, а я ее поймать не могу. А вам надо же как посчастливилось: только приехали — и сразу встреча!

— Зин, ну чего ты? Я к тебе приходил, а она от тебя спускалась, там и встретились. Зин, пойдем куда-нибудь, а? — предложил Плюх и скривился. — Да сними ты это безобразие! Чего только не нацепит...

— Ну вот что! — не поверила Зинаида, слишком хорошо она знала подругу. — Вот что! Это и не безобразие вовсе! Это голова моя, ясно?! А вы... вам... я вообще... Граждане! Кому шапочку? Шапки замечательные!! Кролики!!!

— Зин... — переминался с ноги на ногу Игнатий.

Корытская уже яростно размахивала над головой уродливой шапкой, показывая, что никакие хирурги ее покой смутить не могут.

— Шапочки!!! Гражданин, вы мне своей фигурой все настроение уже испортили! Вот ведь, как прилепится такой, прям никакая торговля не идет... Граждане! Шапочки!

Плюх пожал плечами и сначала медленно, а потом все быстрее и быстрее пошел прочь от Зининой палатки.

Конечно, больше работать на рынке она не могла — в тот же вечер попросила дать ей расчет. Предприимчивый хозяин насчитал такую недостачу, что на руки Зинаида получила только двести рублей. С горя неудавшаяся торговка хотела купить на две сотни томатного сока, однако одумалась и купила на все деньги рыбы Мурзику. Когда-то ей еще попадется работа, но кот страдать не должен.

Придя домой, Зинаида первым делом кинулась к телефону:

— Нюрка! — злобно зашипела она в трубку. — Ты... ты... знаешь, ты кто?

— Ой, кто это? — завела подруга знакомую песню. — Ой, не узнаю...

— Сейчас узнаешь! На фига ты сказала Плюху, что я на рынке торгую, а?! Ты что, не могла меня предупредить, что он приехал?! Знаешь... — Зинаида задохнулась от негодования, а потом в голове ее мелькнул замечательный план мести. — Знаешь, Нюрочка. Вот у нас сосед один есть... Ты его не знаешь, красавец такой, молодой, только после армии вернулся, весь в наколках... Так он, Нюрочка, меня специально подловил и спрашивает: «А что за прекрасная дама к вам ездит? Не могли бы вы меня с ней познакомить?» Это он, Нюрка, про тебя! А я сказала, что ты замужем, вот так!

На другом конце провода послышался тягостный стон, а потом прямо в ухо Нюрка звонко всхлипнула:

— Зин, но я же... и замужем-то не была... А он, может быть...

— Да! Он хотел! Он хотел тебя в загс пригласить! А я сказала, что ты не можешь, вот так! А потому что... зачем ты моего Плюха подкарауливала?

Нюрка затараторила в трубку так быстро, будто за каждое слово ей платили в валюте:

— Зинаида! Я вовсе его не подкарауливала! Я к тебе пришла... Ой, Зинка, я чего приходила-то... Ты же, помнишь, про Таньку Боеву заикалась, а она ведь барменшей работает. Я чего думаю, может, тебе к ней обратиться? Театр мод знаешь? Ну, его все знают — «Я не такая!» называется. Так вот, бар прямо при этом театре. Она там и работает. Так ты сходи, может, сунет тебя куда-нибудь? Слышь чего, а ты мужичка-то того, ну, соседа, в следующий раз...

— Ну, теперь, может, и дам ему твой номерок, — проговорила Зинаида и положила трубку.

Нет, на подругу она все еще была сердита: подстроила такую встречу с Плюхом! Ну, ничего, может, и правда, Татьяна ее пристроит, и тогда... Вот только бы ничего не случилось с ее Вадиком...

К Татьяне Боевой Зина отправилась на следующий день. Прямо на работу. Театр мод «Я не такая!» искать долго не пришлось. Оказывается, в городе он пользовался популярностью, и третья же женщина, к которой обратилась Зинаида, подробно расписала, как его найти.

Это было совсем небольшое, но очень красивое двухэтажное здание в желто-синих тонах с яркой вывеской. Бар находился на первом этаже, был он тоже маленьким, но красивым, с самой современной мебелью и поражал необычными дизайнерскими находками. Зинаида пришла рано, поэтому посетителей в баре не было, зато за стойкой что-то мелодично напевала приятная миниатюрная женщина яркой внешности и натирала и без того прозрачные бокалы.

— Простите... — начала было Зинаида, но ее голос немедленно заглушил дикий рев:

— Зинка! Корытская! Молодец, что пришла! Ну, с ума свихнуться! — вскричала барменша, размахивая бокалом.

Теперь это была прежняя Танька Боева, с которой Зинаида работала двадцать лет назад, Танька, которая славилась неугомонным характером, звонким голосом и сорочьим языком. Судя по тому, что Боева тарахтела без передыху, а рот ее растягивался в радостном оскале, Зинаида поняла, что с найденным ею парнем, Вадиком, все не так плохо.

— Нет, ну какая молодец — вот взяла и заявилась! Проходи, сейчас посидим с тобой, у меня народ только ближе к четырем подтянется. Слушай! А я ведь к тебе сама собиралась! Ну, из-за Вадьки-то... А все времени нет, сама понимаешь: мне хоть разорвись — и к нему надо, и на работу. Вот сейчас брат приехал, так сидит пока с ним... Ой, ну как постарела... А что это у тебя на голове? Прическа такая? Мастера хорошего найти не можешь?

— Таня, а как Вадик-то? Вы нашли тех хулиганов, кто его так? — умудрилась вклиниться с вопросами Зинаида.

Татьяна на нее замахала руками и придвинулась к самому лицу:

— Какие хулиганы! Ты что? У нас тут такое творится! Вот ты не поверишь, знаешь... — страшно зашептала Танька и даже по-куриному закатила глаза. Но когда открыла, взгляд ее уперся в Зинаидины ноги. — Зин, а сейчас такие юбки уже никто не носит. Посмотри, какие у тебя ножки убогие! Ой, чего ж ты гвоздем торчишь, садись вот сюда! Слу-у-ушай! Я тебя к Агаповой отведу, она тебе такой костюмчик придумает — все пальцы оближешь!

Татьяна снова заработала языком, и у Зинаиды пропали все шансы сказать хоть слово. Между тем Боева выставляла на высокий стеклянный столик какие-то коктейли, крошечные чашечки с кофе, фарфоровые вазочки с консервированными фруктами и мороженым, и все шелестела фольгой от шоколада.

— Тань, я ведь к тебе по делу! — хлопнула ладонью по столу Зинаида. — Понимаешь, мне очень нужно...

— Понимаю! — вмиг посерьезнела Татьяна и вперилась острым взглядом в бывшую коллегу. — Все ясно, я так и думала... Ну-ка, встань. Да вылезь ты из-за стола!

Татьяна выдернула Зинаиду из-за столика и принялась крутить ее, будто вешалку в магазине.

— Ну, конечно, ты — ненормальная, я это сразу заметила. У тебя широкие плечи, узкий таз и кривые ноги. А грудь! Нет, это не грудь, а стихийное бедствие, прямо бахча какая-то... Знаешь, грудь придется убрать, ноги...

Зинаида испуганно поставила ножки в третью позицию и прикрыла сумочкой грудь. Подруга явно маялась нервным расстройством. Вероятно, трагедия с сыном не прошла бесследно для ее мозгов. Однако за свои ноги Зинаида Корытская готова была сражаться с любым умалишенным! Она великолепно знала свои плюсы, и нижние конечности были ее гордостью. Если кто-то обладал лебединой шеей, то Зиночка носила свое мощное туловище на абсолютно журавлиных ногах, эдаких тоненьких, длинных, с выпуклыми фигуристыми коленками. Да и грудь, если ее выгодно подать...

— Знаешь, Танечка, я уж как-нибудь и с бахчой... И ноги у меня... ровные, это я их поставила... кривенько. Ты, надо сказать, тоже не Ален Делон, — обиженно поджала она накрашенные губки и дернула хилой косицей. — И вообще — я к тебе по трудоустройству, но...

— Ах, так ты работу ищешь?! — всплеснула руками Боева. — А чего сразу не сказала? У нас же театр мод для нестандартных фигур. Очереди обалденные, вот я и подумала, что ты на заказ пришла. А если работать... Да чего ты вскочила-то? Садись!

— Подожди, — насторожилась Зинаида. — Что значит — нестандартные фигуры?

— Ой, да очень просто! — охотно объяснила подруга. — Слишком толстые, слишком худые, длинные там, кривоногие, все сюда к нам. У нас направление такое! Кстати, а грудь тебе все равно надо убрать...

Из сбивчивого рассказа Татьяны Зинаида уяснила следующее. Шесть лет назад умненькая домохозяйка Леночка Ивская, брошенная мужем и оставленная с дочерью на куцые алименты, от безысходности сняла комнатку и создала крошечное ателье. Дабы выгодно отличиться от множества схожих артелей, женщина сделала ставку на нестандартную моду: она решила разрабатывать такие модели, в которых даже самая отъявленная дурнушка выглядела бы королевой. Главной ее находкой была Альбина Агапова, которая сидела в какой-то затхлой конторе серым инженером, ни фига не смысля в производстве, и хоронила яркий талант модельера. А между тем женщина могла в любом бесформенном теле обнаружить фигуру и придумать такую одежду для нее, чтобы скрыть недостатки и выгодно выставить достоинства. Если учесть, что над каждой моделью женщины трудились, как над диссертацией, нетрудно догадаться, что очень скоро в маленькое ателье потянулись неизбалованные модельерами толстушки, кривоножки и низкорослые дамочки. Успех превзошел самые смелые ожидания. Популярность налетела саранчовой тучей, и через какое-то время дорожку в маленькую комнатушку знали даже шестилетние модницы. Теперь Елена Сергеевна Ивская была уже директором крупного театра мод «Я не такая!», имела свое помещение и небольшой, но крепко спаянный коллектив. Кроме того, в театре два раза в месяц проходил непременный показ мод из собственных несовершенных манекенщиц, а также работал и психолог, парикмахерская и визажист. К коллективу же были особенные требования. Елена Сергеевна не переносила многолюдные организации, на работу брала людей крайне редко и с большой осторожностью, потому что стремилась в театре создать атмосферу уюта и даже некоторого родства, а с маленьким коллективом это было удобнее всего. Посему каждый работник имел как минимум две должности, но поскольку зарплата была достойной, то никто и не думал роптать.

— Вот черт! — ругнулась Зинаида и принялась сокрушаться. — Значит, не любит ваша директриса новеньких, да? Ну, не везет мне с работой, хоть застрелись! А ведь такая славная работница пропадает... Нет, Тань, ты ведь знаешь, я ж вся трудоспособная, ответственная... Вот ты вспомни, я хоть раз кого обсчитала? Да ладно, не вспоминай!

— Зин, ты лучше вот этот коктейль попробуй — обалденный! Знаешь, вкус, как будто ацетон с ананасом — до мозгов продирает... — толкала Татьяна к подруге высокий стакан, украшенный серебристым бантом и веткой герани. — Ну чего разошлась-то? Сейчас вместе к Ивской сходим... Я ей давно говорила, что мне одной трудно, а уж теперь особенно. Только она все своего человека советовала найти, с улицы никого не возьмет. Вот я и нашла. Пей давай.

Сердце Зинаиды от радости ухнуло куда-то в живот, и она благодарно ухватилась за стакан. Минуты две пыталась пристроиться между геранью и бантом, чтобы послушно вкусить ацетона с ананасом, но ничего не получилось, и она толкнула барменшу:

— Слушай, Тань. Я герани и дома наемся, может, мы сразу пойдем к Ивской?

— Как хочешь, — легко подхватилась Боева и хихикнула: — Вот зачем только цветы обжевала, может, напиток еще кому продать получилось бы...

Елена Сергеевна Ивская оказалась очень интересной женщиной лет тридцати семи. Она сидела за столом и разбирала бумаги. Увидев вошедших, растерянно улыбнулась:

— Вы ко мне? Танечка, ты привела свою знакомую на заказ? Сейчас Лида Данилова работает, но сначала к модельеру, ты же знаешь.

— Елена Сергеевна, я нашла своего человека! — торжественно сообщила Татьяна и вытолкнула Зинаиду вперед. — Вот, оценивайте!

Зинаида перекошенно улыбнулась и от испуга что-то такое вытворила ногами на балетный манер.

Елена Сергеевна такое рвение не оценила, как-то вся скисла и чуть не плача обратилась к Татьяне:

— Танечка! Ну, ты же знаешь, какое у нас теперь положение! У нас такое горе, надо всем вместе сплотиться, а ты посторонних людей...

— А какое горе? — шепотом спросила Зинаида подругу. — У нее-то какое? Обанкротились, что ли?

— Да чтоб ты окривела! Обанкротились... — рыкнула на нее Боева, немало не смущаясь присутствием начальницы. — Нет, у нас сотрудница одна погибла... Странное такое дело, прямо вот ничего не понятно! Милиция не шевелится, а нам страшно. Если все модели гибнуть начнут...

— Танечка! — повысила голос Ивская, и подбородок ее подозрительно запрыгал. — Мне бы хотелось, чтобы ты не слишком распространялась!

Танечка поняла, что язык у нее несколько распоясался, и принялась сглаживать ситуацию, то есть врать:

— Елена Сергеевна! Между прочим, вы не смотрите, что на первый взгляд Зинаида идиоткой выглядит. Она вообще-то не глупая. Знаете, как она нашего директора облапошивала! Не всякая с высшим образованием так сообразит! Она мне помогать будет. Вы же знаете, мне теперь с Вадькой... А про Софью Филипповну... Я вам говорила, что вплотную займусь этим непонятным случаем, а Зина мне поможет. Зин, поможешь ведь, чего молчишь?

— Конечно! Помогу! Только в каком случае? — не поняла Зинаида.

Татьяна сделала страшные глаза и зашипела:

— Ну, в убийстве! Соглашайся, дурочка, там пристроим тебя куда-нибудь...

Заслышав про убийство, Зинаида выпрямила плечи и гордо дернула шеей. Она даже позволила себе усесться на стул без приглашения директора.

— Елена Сергеевна... Вас так, кажется, зовут? Уважаемая Елена Сергеевна, сегодня ваш счастливый день, и вы должны Татьяне памятник поставить!

— Не надо памятник, мне не к спеху, — быстро проговорила Татьяна, не понимая, куда клонит подруга.

Елена Сергеевна тоже насторожилась. Она даже отложила свои бумаги подальше и с вниманием ждала, каким же таким счастьем одарит ее странная посетительница.

— Дело в том, — продолжала Зинаида, — что буквально несколько месяцев назад я раскрыла одно непростое преступление. Кстати, у меня есть свидетели и благодарные клиенты... Хотя с клиентами...

Зинаида и в самом деле не так давно каким-то чудом распутала сложное преступление, однако клиент ей вовсе благодарен не был, так как, собственно, из-за нее угодил за решетку. Какая уж там, к черту, благодарность? Но об этом Елене Сергеевне вовсе незачем было знать.

— Если не верите, я могу принести отзывы, — с чувством собственного достоинства продолжала Зинаида. — Так что придется вам меня взять, а я попробую разобраться, что же такое произошло с вашей сотрудницей.

Ивская немного помолчала, покрутила карандаш, а потом решила, видимо, что хуже уже не будет, и махнула рукой:

— Хорошо, попробуем. Татьяна, отведи свою знакомую к Ие Львовне, пусть она ее оформляет.

Подруги мотнули головами и, довольные, направились на выход.

— Зинаида... Как, простите, вас по отчеству... — вдруг окликнула Ивская Зину у самых дверей.

— Не надо отчества, можно по-домашнему — Зиночка, — зарделась та.

— Зиночка? Пожалуй, лучше будет Зинаида. Так вот, Зинаида. Если вам действительно удастся на что-то пролить свет, я предложу вам должность менеджера по кадрам с окладом в две тысячи долларов. Вас устроит? Тогда дерзайте, — вдруг объявила Елена Сергеевна и снова уткнулась в бумаги.

За директорскую дверь Зинаида вышла буквально вприсядку. Вовсе не оттого, что пустилась в пляс, просто ноги как-то сами собой подкашивались на каждом шагу. Если ей будут такие деньги платить, да она не только свет прольет, она душу из каждого вытрясет! Сами не рады будут! Господи, как директриса сказала, ее должность будет называться? Менеджер? На «Том и Джерри» похоже. Да и бог с ним, с названием... Неужели в самом деле заплатит?

— Слышь, Тань, а она у вас не того? Не любит приврать? — ткнула она в бок подругу.

А та уже неслась по коридору к неизвестной Ие Львовне и на приседания Зинаиды внимания не обращала.

— Зина, ну давай быстрее! Сейчас Хорь унесется куда-нибудь, останешься не оформленной! Чего ты там спрашиваешь? Врет? Нет, Ивская врать не любит, да только фигу с дрыгой ты кого отыщешь. Так все наворочено... — отмахнулась Татьяна и заторопилась дальше.

Зинаида даже не успела спросить, какой хорь куда-нибудь должен унестись. Но вот они оказались перед светлой стеклянной дверью.

— Ну все, — набрала побольше воздуха в легкие Татьяна, — теперь держись. Ия Львовна Хорь, это тебе не Ивская. Это граната! Бомба! Прямо бомбардировщик! Ну да ладно...

Они вошли в кабинет и сразу же оцепенели: в центре просторной комнаты, которая была уставлена шкафами с папками и оргтехникой, высилась огромная женщина и под заунывные индийские напевы дергала мощным тазом.

— На-ня-ня, на-ня-ня-а-а-а, — тоненьким овечьим голоском дребезжала она себе под нос, продолжая наворачивать восьмерки пышными окороками.

Зинаида погрустнела. Глаза ее покраснели, и она вдруг поняла, что если проронит хоть слово, ее тут же разорвет от смеха. И прощай тогда две тысячи долларов. Она беспомощно оглянулась на Татьяну. Та некоторое время смотрела на женщину стеклянными глазами, а потом вдруг ляпнула:

— И не совестно вам, Ия Львовна, индийскую культуру похабить?

Женщина как-то по-кошачьи мявкнула, присела и посеменила в соседнюю комнатушку, будто с ней приключился конфуз. Ровно через две минуты она вышла к дамам-посетительницам огромная, невозмутимая, холодная, будто рефрижератор, и едва разлепила губы:

— Боева, почему в моем кабинете посторонние?

Татьяна захлопала глазами, облизала вмиг пересохшие губы и невнятно забормотала:

— Ия Львовна, это... Понимаете, это Корытская, Зинаида Ивановна... Она не посторонняя, ее Ивская попросила оформить как официантку. С сегодняшней пятницы...

— Боева! На кой черт нам еще официантки, когда и тебя-то не знаем куда деть? — все так же по-царски вопросила Хорь.

— Но как же... я же бар... Мне одной... Там надо и закупки произвести, и посуду помыть, и потом...

Зинаида вдруг сообразила, что из-за этой слонихи она и вовсе может остаться без работы — причем в тот самый момент, когда все начало так славно складываться — и пошла ва-банк. Она продвинулась к столу, вальяжно расселась на бархатном стуле, закинула одну тощенькую ногу на другую и, рассматривая облупленный маникюр, проронила:

— Гражданочка, вам приказали оформить меня официанткой, так вы и оформляйте, не выкорежвайтесь. Кстати, вторую мою должность можно в трудовой не указывать. Я еще и следователь по особо запутанным делам. Так что вы время не тяните, пишите, что там требуется, мне еще вас допросить нужно.

Такого поворота событий хозяйка кабинета не ожидала. Она раздулась пузырем и вдруг закудахтала:

— Кто... кто, кто вам сказал, что по запутанным это ко мне? Почему сразу ко мне, я не понимаю! У меня совершенно нет никаких дел! Откуда у меня запутанные? Да у меня бумажечка к бумажечке! Вот, пожалуйста, можете проверить!

— А я и проверю. Чего вы так всполошились? — успокоила Зинаида. — Я затем сюда и поставлена, чтобы проверять, узнавать, искать. А вы меня оформлять вроде не собираетесь...

Ия Львовна отчего-то накинулась теперь на окаменевшую Татьяну:

— А кто не собирается, а? Это я не собираюсь? Боева! Ты что про меня человеку наговорила?! Да я... Дайте вашу трудовую книжечку, будьте любезны, — сладким голосом, будто автограф, попросила она у Зинаиды. — Вы не слушайте эту Боеву, ей на хорошего человека тень навести, как нечего делать, такая зараза, я извиняюсь...

— Боева моя подруга, и я бы попросила...

— Ой! — радостно всплеснула руками Ия Львовна. — Танюша ваша подруга? Боже мой, счастье-то какое! Это же как славно, что вы вместе работать будете! Танечка — золотой человек! Золотой! Я всегда говорила — сокровище! Боева, чего ты молчишь, говорила я или нет, что ты — сокровище?

Татьяна только мычала, переступала с ноги на ногу и ждала, когда же закончатся ее муки.

— Вам авансик выписывать? — заглядывала в глаза Зинаиде Ия Львовна. — Пожалуй, я выпишу. Подъемные, так сказать. Правильно? Немножечко, тысяч пять, да? А у нас так, все для блага человека. Боева, ты лом проглотила, что ли? У нас, говорю, для блага ведь, да?

Татьяна согласно клацнула зубами и, едва дождавшись Зинаиду, выскочила за дверь.

— Ой, Зинк, и чего врала, чего врала-то? По особо запутанным она... Теперь держись! Эта мегера не простит тебе сегодняшнего вранья, высушит, как воблу, попомни меня, — горестно мотала головой Татьяна, не соображая, как пережить драму.

— Боева, я, между прочим, сегодня еще не вра-

ла. И дело это собираюсь распутать по-настоящему, — серьезно сообщила Зинаида и, уже по-просто-
му, спросила: — Слушай, Тань, а что у вас случилось-то? Хоть бы рассказала, в самом деле! И с
Вадькой твоим что за дела? Знаешь, я все время думала, думала... Он у тебя артист какой, что ли? Отчего в женском тряпье-то был?

— Чего ты там думала, когда ты и сотой доли не
знаешь! — с жалостью вздохнула Татьяна, а потом
решительно рубанула рукой воздух. — Значит так!
Сегодня ни слова о деле, я тебе покажу все наше
барское хозяйство, то есть барменское, введу, так
сказать, в курс работы. А вот завтра у нас нерабочая
суббота, мы с тобой встретимся и, уже в домашней
обстановке, без лишних ушей... Ну, ты меня понимаешь. А с Вадькой пока все нормально. Придешь
завтра, сама увидишь, а то так просто не расска-
жешь...

Конечно, Зина понимала, и серьезный разговор
отложили на завтра.

Домой Зинаида пришла в самом роскошном на-
строении. Мало того, что с Вадиком все обошлось,
так она к тому же нашла прекрасную работу, и ей
сразу же выдали аванс! А впереди такие перспекти-
вы — менеджер по кадрам... Как звучит! Вот полу-
чит она первую зарплату, нарядится и перед Плюхом туда-сюда, туда-сюда... Зинаида представила,
как она будет выглядеть: такая строгая, стройная...
Кстати, а что с грудью-то делать? Хотя, если она
станет менеджером, а она станет... В общем, пожи-
вем — увидим, что делать. По такому поводу она
даже забежала в магазин и увесилась пакетами с
продуктами.

— И ничего страшного. Вот стоило мне только захотеть и — пожалуйста, две тысячи долларов! — хвасталась перед котом Зинаида, когда уже валялась дома перед телевизором.

Сегодня она даже не пошла к столу, когда ее Юля звала на традиционный борщ. Как бы там ни было, надо себя готовить к новой должности, схуднуть местами. Так что Зина ограничилась парочкой пирожных, которые заботливая Татьяна сунула в сумку, да еще выкушала коробочку «Птичьего молока», скромный Татьянин подарок за спасение сына. Теперь можно было валяться на кровати и мечтать о перспективах.

— Ты вот, котяра, не облизывай шерстку больше — скоро будешь соседским кошкам хвастаться, что тебя гладил менеджер по кадрам.

Кот только согласно урчал и жмурил янтарные глаза.

Зинаида и сама не заметила, как ее веки отяжелели, дыхание стало глубоким, затем оно перешло в сопение, а потом из глубины души и вовсе вырвался сочный храп.

Очнулась женщина от требовательного стука в дверь:

— Зинаида Ивановна! Вы живы там? Выходите завтракать! Вы же вчера ничего не кушали, у вас желудок съежится! Зинаида Ивановна! Ой, может, позвать Игоря, чтобы он двери вынес? — волновалась Юля, заглядывая в замочную скважину.

— Ох, господи! — всполошилась Зинаида, продирая сонные очи. — Стоит только даме решить отдохнуть немножко... Юленька! Что ж вы так ломитесь, будто на вас слесарь напал? Какой завтрак, когда время ужинать?

Зинаида открыла дверь, и в комнату впорхнула свежая и бодрая Юля.

— Что вы, Зинаида Ивановна! Ужин вы великолепно проспали. Я вас будила, будила... А Игорь сказал, что у вас, вероятно, какая-нибудь акция голодовки из-за безработицы, и чтобы я не вмешивалась в ваши политические убеждения. А я так подумала: завтракать-то и при убеждениях ведь можно, правда? Мурзик, котик мой золотой, уже десять утра, а ты еще к миске не подходил, какой ужас! Зинаида Ивановна, прекращайте морить себя голодом, я вам омлет приготовила с петрушкой.

Девчонка совсем недавно выскочила замуж и мнила себя хлопотливой хозяюшкой. Заботы об одном муже ей явно не хватало, детьми ребята еще не обзавелись, поэтому девчонка опекала всех, кто попадал в ее поле зрения, так что Зинаиде и коту, находившимся в нем почти постоянно, доставалось. Однако они вовсе не возражали. Вот и сейчас Зинаида пригладила встрепанную косицу и мило улыбнулась соседке:

— Детонька, можешь передать Игорьку, что у меня совсем нет повода для убеждений. Тем более для политических. Я вчера устроилась на замечательную работу, с понедельника выхожу... Подожди-ка, а что, уже в самом деле десять утра?

— Вот! — Девчонка подскочила к столику, где у Зинаиды тикал будильник, и сунула часы соседке прямо в нос. — С чего бы мне врать? Кстати, омлет совсем остынет, поторопитесь.

Зинаида поторопилась. Тем более что ее ждал не только омлет, но и серьезные дела.

— Юля, а мне никто не звонил? — спросила она за столом.

— Как же, звонили, несколько раз. Женщина какая-то. Потом мужчина. Правда, он не сказал, что мужчина, просто сопел в трубку. Но я решила, что это вас и именно мужчина. А еще женщина, я говорила, да? Но я ей строго-настрого сказала, что не стану вас тревожить. Вы хлебушек маслом мажьте, хорошее масло, дорогое.

— Юля! — вскинулась Зинаида. — Это же мне по делам звонили! Ну... и чего теперь делать? Ты понимаешь, что от меня уплывает крупный гонорар?

Девчонка нисколько не опечалилась:

— А я говорю — кушайте! Ваша знакомая телефончик оставила, потом позвоните. Кстати, Зинаида Ивановна, вы не знаете, как в Мурзика петрушку запихать? Он совсем не ест овощей, а ему просто необходимы углеводы!

— А ты, Юленька, подыщи умненькую статейку про эти самые углеводы и прочитай коту. Он, видишь ли, на слово не привык доверять. А телефончик мне дай.

Устроившись возле новенького телефона, который, к слову сказать, приобрели квартиранты, Зинаида стала нетерпеливо нажимать кнопки. И едва заслышав, как на том конце провода сняли трубку, сразу защебетала:

— Алло, здравствуйте, вы мне звонили, я временно не могла...

— Зинк, ты, что ли? — отозвалась Татьяна. — Я тебе звоню, звоню... Приезжай ко мне, поболтаем. Знаешь, где я живу? Записывай.

Глава 2

Не щекочите сыщика — проснется!

По меркам Зинаиды, Татьяна жила просто роскошно. Просторная светлая трешка, заставленная мягкой мебелью сливочных тонов, горы всевозможных подушечек, огромный телевизор, пушистый однотонный ковер, воздушные шторы... Но Татьяна и не думала кичиться обстановкой, неудержимо тащила подругу к цветам, которых здесь было великое множество.

— Зин, чего ты к стеллажу приклеилась? Пойдем, я тебе такую строманту покажу! Правда, красавица? Потом дам отросточек. А в спальне у меня такой антуриум — сдохнешь! А еще стрелеция! Она пока еще не цветет, но уже собирается. У нее такие цветы... Как птичьи головы, представь!

Зинаида вяло пялилась на зеленые листья и все больше глазела по сторонам. И чего, спрашивается, сдыхать от каких-то веточек, если она прямо сейчас готова скончаться от одной Танькиной кровати — огромной, с маленькими деревянными ангелочками по углам. А еще такой же торшер. И книги... Можно подумать, Танька читать умеет! Зинаида немед-

ленно одернула себя — негоже так откровенно за-
видовать, может быть, и у нее когда-нибудь появит-
ся полка с книгами и ангелочки с кроватью! А Боева
не унималась и тащила гостью в следующую комнату.

— Подожди, ты еще самую красоту не видела!
В Вадькиной комнате у меня орхидея! Цветет, представляешь?!

Зинаида послушно вошла за хозяйкой в Вадьки-
ну комнату и будто споткнулась — на широкой кровати лежал ее недавний знакомый. Теперь она могла хорошо его разглядеть. Все лицо у парня было
желтоватым от сплошного застарелого синяка, волосы теперь торчали не драными клочьями, а были
коротко подстрижены, и сквозь них виднелись сса-
дины. Сейчас Вадим лежал в мужской пижаме и ни-
чем не напоминал жуткое существо в джинсах и ко-
ротеньком девичьем платье, которое она видела па-
мятной ночью в овраге.

— Вадик... — проблеяла Зинаида. — Ты меня не
помнишь?

Парень присмотрелся, но потом только неопре-
деленно пожал плечами.

Возле него уже порхала мать. Татьяна теперь не
щебетала, а заботливо поправляла подушку под головой паренька.

— Вадь, ты киселька попьешь? Хочешь йогурта?
Я твой любимый купила, с ананасом... Нет? Вадик,
это тетя Зина, мы с ней теперь работаем. Это она
тебя нашла, и если бы не она...

— Здрассть, — просипел парень и что-то про-
шептал матери на ухо.

Татьяна тут же унеслась из комнаты, а Зинаида
не могла оторваться от лица паренька.

— Представляешь, — вспомнила она. — Я машину хотела поймать, руку подняла, а на меня бык выскочил. Прям не бык, а маньяк какой-то! Откуда он взялся, до сих пор не могу понять. Я от него как рванула, а потом я споткнулась и прямо на тебя свалилась. Знаешь, когда ты меня за ногу ухватил, я подумала: если это снова бык, поймаю и прям говядину из него сделаю, ну сколько бегать-то!

— И как? Поймали? — с трудом разлепил губы парень.

— Кого? Быка? Да где там, удрал.

Вадим медленно покачал головой:

— Машину... поймали?

— Машину? — оторопела Зинаида. — А зачем мне машина? Меня твоя мама довезла. Нам же по пути в город было! Вадик, а... а почему на тебе такой странный наряд был? — не утерпела Зинаида.

Парень метнулся глазами, потом немного скривился:

— Не знаю я, не помню... — И откинулся на подушку. А к сыну уже спешила Татьяна с дымящейся кружкой, от которой шел травяной пар. Парень потянулся за кружкой, и на худой руке перед глазами Зинаиды мелькнула надпись «Я не та...». Дальше прочитать она не успела.

— Вадик, а это что у вас? — еле проговорила она, тыча в руку.

Парень поспешно убрал руку и насупился.

— Вадя, покажи тете руку. Да не эту, а ту, которая исписана! — немедленно встряла Татьяна. — Это же тетя Зина! Не забывай, если бы не она... Кстати, Вадик, а что, если тебе на плече потом так вот красивенько татуировочку сделать: «Не забуду тетю Зину!»

— Мам... — беспомощно протянул Вадим.

— Ну уж, Тань, ты вообще... — не выдержала даже Зинаида.

— Ладно, ладно, не надо. А руку покажи!

Она даже сама подскочила к сыну, задрала ему рукав повыше и зычно прочитала:

— «Я не такая!» Видала, Зин, какие сволочи! Ну, ничего-ничего...Ваденька, а ты спи, спи, не переживай. Скоро на тебе все заживет, спи, сынок.

Татьяна еще раз поправила подушку и повела гостью из комнаты в кухню.

Зинаида заторможенно прошла следом и уселась за стол. Кухня у Татьяны тоже поражала удобством и современностью, но теперь Зинаида этого не видела, перед глазами так и стояло измученное лицо паренька.

— Вот, видела? — появилась через некоторое время в дверях Татьяна. — Видела, что с сыном сделали? Я ж тебе говорю: странные вещи у нас творятся. Потому я и взялась разобраться, кто так наглеет. Милиция, правда, обещала найти хулиганов, да у них же и без нас дел полно, а я за Вадьку не хочу прощать негодяев. Правда, у меня никакого опыта...

— Что с ним случилось? — кивнула в сторону комнаты Зинаида.

— Ой, Зин... — Татьяна уселась напротив подруги, налила чаю и принялась объяснять: — Да что тут случилось... Вадька из института домой в шесть приходит, а тут жду, жду его, а его все нет. Уже и семь часов, и восемь, и десять... А потом ты позвонила.

— Таня, а откуда у него надпись такая? — спросила Зинаида. — Я что-то не припомню, чтобы там, когда я его нашла, у него руки исписаны были.

— Да были, ты не видела просто, — устало отмахнулась Боева.

— А что он сам говорит? Кто к нему подходил? С чего все началось-то?

— Да ничего он не помнит! Зин, мне кажется...

Горестную речь хозяйки прервал телефонный звонок.

— Да! — подняла она трубку.

Вероятно, тот, кто звонил, планировал говорить долго, потому что Татьяна воздела глаза к потолку и пальцем, будто пистолетом, ткнула себя в висок. Говорящий этого не видел, поэтому беседу не прекращал.

— Тань, ты соври что-нибудь культурное, — зашипела Зинаида, у которой уже кончалось терпение. — Соври, что к тебе муж приехал, говорить не можешь.

Татьяна так и сделала:

— Слышь, Коля! Иди к черту! Ну, надоел, честное слово! Будут деньги — заходи! — рявкнула она и бросила трубку.

— Что ты так грубо с человеком?

— Да какой там человек? Это мой бывший, отец Вадькин! — отмахнулась Татьяна. — Представь, когда с Вадькой такое случилось, он позвонил, я ему кричу: врача хорошего найди! Я-то реву, ясное дело, а он только: «А может, Вадику яблочки купить?» Ну скажи, на кой черт Вадьке яблочки, если у него вся челюсть разворочена? Я, ты знаешь, готова была эти яблочки ему...

— Тань, подожди, ты говорила, что тебе что-то кажется, — перевела разговор Зинаида.

Татьяна вмиг остыла, задумалась, а потом поделилась соображениями:

— Мне кажется, тут наш театр замешан. Ты же видела надпись: «Я не такая!» А наш театр так и называется, чего думать-то? Понимаешь, Вадька у меня паренек смышленый, соображает, прямо как калькулятор, честное слово. Он учится в институте на экономиста и, между прочим, повышенную стипендию получает. У нас ведь театр большой, а бухгалтером только Хорь, которую ты вчера видела. Она, конечно, баба умная, но и работы у нее — выше крыши. Короче, не успевает она со всеми делами справляться. А я возьми да и ляпни ей про Вадьку. В общем, села на него Хорь прям верхом! Сначала одно попросила сделать, потом другое, а теперь и вовсе — чуть что, звонит и даже не просит, а перед фактом ставит: к такому-то числу надо то-то и так-то. И хоть бы копейку заплатила, ведьма! А Вадька у меня интеллигентный такой уродился — сама не знаю, в кого пошел? — за нее работу делает, а она деньги огребает. Ой, чего ж ты чай-то не пьешь? Давай я тебе конфеток подложу...

Зинаиде расхотелось чаю. Какое тут чаепитие, когда такие тонкости про будущих коллег выплывают!

— Тогда тем более зачем убирать такого замечательного да еще и дармового работника? — не согласилась Зинаида.

— Ага, дармового! — вытаращилась Татьяна. — Я ж тебе рассказываю... В последний раз Хорь снова Вадьку загрузила, а я сказала Ивской, мол, сколько же можно парня за финансового негра держать? Устраивайте его хоть на полставки, все равно он на вас каждый месяц исправно пашет. Ивская серьезно вроде к моим словам отнеслась, обещала подумать, а через два дня на Вадьку и напали. Сама же видела!

Мы с ним в больницу ездили, но там сказали, что страшного ничего нет, я его и забрала. Дома оно всегда лучше...

Татьяна поднялась, налила в красивый стаканчик киселя и понесла парню.

— Таня, так, может, Вадьку просто хулиганы поймали? — спросила Зинаида, когда подруга вернулась.

— Может, и хулиганы, но только они, когда его битами били, приговаривали, что театр ему боком выйдет, если только сунется туда устраиваться. Это единственное, что он помнит. А переодели его в тряпье уродливое, думаешь, так просто? У нас ведь всякие накладки делают, чтобы, скажем, кривизну спины не так заметно было, и прочие премудрости... И надпись не то маркером, не то еще какой дрянью вывели. Я хотела смыть, но у Вадьки такие боли... Ладно, потом все равно отмою, если надо, и ацетоном ототру.

Зинаида не знала, что и сказать, молча брякала ложечкой в чашке. Чай уже совсем остыл и пить его не хотелось. Татьяна крутилась возле плиты, на которой кипели какие-то кастрюльки с запаренными травками и шипели на сковороде котлеты.

— Да у нас бы, может, и не тряслись так... Ну, подумаешь — Вадька! Это для меня он сын единственный, а им кто? Только тут и вовсе страшная вещь случилась, — продолжала Татьяна, оторвавшись от кулинарии. — Еще в прошлом месяце пришло нам приглашение из Англии... Даже не нам, и не приглашение. Англичане предложили Ивской подписать контракт на три года, чтобы она приехала к ним, поработала, поделилась опытом и подобный театр устроила у них там. Естественно, большими деньгами заманивали. Только пригласили не весь театр, а одну Елену Сергеевну. Правда, разрешили модельера взять — Агапову. Елена сразу лоб давай морщить — как бы ей и театр не бросить, и выгоду не упустить. А возле нее все наша модель крутится — Софья Филипповна. Сама уже старушка, а еще и швеей работала. Старушка старушкой, но во все дыры так и лезла. И тут она твердила: «Еленочка Сергеевна! Даже и не вздумайте отказать! Езжайте одна! Чего за собой этот горб тащить?» Это она про нас, что мы, мол, горб! А сама маленькая такая, карлик почти. Она у нас моду для низкорослых показывала. Так ее девчонки чуть не разорвали. Сама же понимаешь: кому в Англию не хочется...

— Ты к чему мне про какую-то Софью рассказываешь, Тань? Мы же про Вадика говорили...

Татьяна сложила по-старушечьи руки в замок и страшно выпучила глаза:

— А к тому! Софья крутилась, крутилась, Елена тогда только отмахнулась. А на следующей неделе Софья Филипповна опять ее подзуживать стала: не слушайте никого, езжайте! И десять дней назад того... сгорела в собственном доме.

— Ого... — опешила Зинаида. Потом проморгалась и сообразила: — Вообще-то, здесь и совпадение может быть, чего уж ты...

— Ага, совпадение! — взвилась Татьяна. — У Софьи, между прочим, тоже на руке написали «Я не такая!», понятно?! И еще одно. Директриса-то наша по совместительству психолог, так вот она с нами, с сотрудниками, беседы постоянно проводит — анкеты всякие заполняем, на тесты отвечаем. Все ей хочется чудо-коллектив состряпать. Недавно она выясняла, кто чего боится. Так вот, Софья, оказывается, больше всего пожара боялась. Даже спички никогда не покупала, только электроплитой пользовалась. Так что с пожаром тем совсем ничего не понятно. Софья Филипповна у дочки часто ночевать оставалась. И в тот вечер Софья, так дочь говорила, тоже осталась. Пришла с работы, к швейной машинке села, все чин-чинарем. Они поужинали, фильм какой-то по телевизору посмотрели и спать отправились, каждая в свою комнату. А утром дочь будят (ее, кстати, Валентиной зовут) и сообщают, что матушка благополучно скончалась. Да не где-нибудь, а в своем собственном доме. А дом тот, между прочим, на другом конце города. Ну и скажи, зачем старушке понадобилось дожидаться, пока дочь уснет, чтобы ехать среди ночи к черту на кулички, на собственную погибель? И не звонил ей никто, дочка бы слышала.

— А может, ее дочка и того... убила? По каким-то своим меркантильным соображениям? — предположила Зинаида.

Татьяна энергично замотала головой:

— Не-а. Я спрашивала, она говорит, что не убивала.

— А милиция что говорит? — поинтересовалась Зина.

— В милиции говорят, что Софью сначала придушили. Представляешь?

Татьяна поцокала языком и пригорюнилась. Зинаида сначала тоже решила запечалиться, но потом вдруг уставилась на Боеву цепким взглядом.

— Слушай, Татьяна, а ты откуда знаешь такие подробности? Прям и милиция тебе все рассказала, и дочь нечаянно проболталась, да еще с подробностями!

Татьяна возмущено вспрыгнула со стула:

— Ни фига себе нечаянно! Я ж тебе говорю — я по этому делу работаю! Даже и папку завела! Подожди-ка...

Боева унеслась куда-то в комнату, и вскоре оттуда послышался такой шум, будто опрокинулся шкаф со всей библиотекой. Может, так оно и было, но через минуту Татьяна стояла перед подругой и прижимала к груди тощую красную папку.

— Вот, смотри, видишь? «Де-ло»! Это я написала.

На папке и в самом деле красовалась надпись, выведенная от руки.

— Дай посмотреть.

— Ага, дай ей! — отступила на шаг Татьяна, еще крепче прижимая папку. — Сейчас сама почитаю, это ж документы, а не каракули какие. Вот, слушай. «Я, Боева Татьяна Викторовна, в трезвом уме и твердой памяти заявляю, что мной проведена огромная работа. Я выяснила, что неизвестным злостным преступником, прямо скажем, негодяем, был сильно избит Боев Вадим Николаевич. И совсем насмерть была уничтожена Софья Филипповна Рудина. Работа продолжается». — Татьяна тяжело вздохнула, будто только что и впрямь провела тяжкую работу. — Видала? Вот и думай. Конечно, я-то думать не стала, сразу за дело взялась, только у меня слабо получается, я же не сыскарь. И времени не хватает, я ведь работаю. Поэтому ты для меня сейчас — палочка-выручалочка. Мы с тобой здесь все перевернем! А то пока нас всех не передушат, никто и не пошевелится.

Зинаида приосанилась. В сыскном деле она считала себя матерым волком: раскрыла же одно преступление, а чем это хуже? И мозги у нее варят получше Татьяниных. И начальником по кадрам быть очень хочется, то есть менеджером. А там кто его знает, может, и ее в Англию возьмут, не одному же Игнатию Плюху по заграницам мотаться.

При воспоминании об Игнате губы у Зинаиды невольно растянулись в блаженную улыбку, а потом скорбно провалились вниз. Это ж надо — он на Нюрку клюнул! Нет, определенно надо себя загрузить новой работой!

— Татьяна! Я думаю, нам прямо сейчас надо отправиться на место преступления. Я имею в виду — в театр, — решительно поднялась она.

— Ты чего? Чаю обпилась? — чуть не подавилась Боева. — Кто тебя туда пустит, в театр-то? Сегодня же суббота! А у нас, если показов нет, никого по субботам в театр не пускают, таково распоряжение Ивской.

— Слушай, а чего тут думать? — вдруг сообразила Зинаида. — Может, сама Ивская все и творит? Убивает, избивает...

— Ой, ну ты совсем... — обиделась за начальницу Татьяна. — Да на фига ей такое надо?! Знаешь, она у нас какая, Елена Сергеевна! Да она... Она мухи не обидит!! Она — святой человек, чтоб ты знала! Нет, надо же такое выдумать! Ты вот людей не знаешь, а еще судить берешься!

— А я тебе говорю, самые коварные преступники — как раз те, на которых никто подумать не может. Вот ты вспомни: мы когда в ресторане работали, на меня кто-нибудь мог подумать, что я личной водкой торгую?

— А чего думать, мы все знали! — вытаращилась Татьяна. — И директор знал. Он тебя еще шельмой

криворукой обзывал, потому что никак поймать не
мог.

— Вот сволочь. Почему же криворукой, если я
очень даже напротив — ловкость рук проявляла? —
перекосилась Зинаида. — Ну да неважно. Короче,
вашу Ивскую проверить не мешает. Может, прямо
к ней и сходим?

Татьяна уже не рада была, что втянула Корытскую в это дело. И что ее к начальству-то тянет?

— Тань, собирайся, пошли к директрисе в гости!

— А тебя Ивская приглашала? — глядя куда-то в
окно, невинно поинтересовалась Татьяна. — Нет?
Так и нечего навязываться. Ты вот только пришла —
и сразу по домам шастать... Так кого угодно спугнуть
можно. Ивская же не дура совсем, она сразу смек-
нет, что ты ее подозреваешь. Если виновата, потом к
ней и не подберешься, а если нет, тогда преступник
насторожится. Нет, тут надо что-то другое придумать.

— Тогда давай я Вадьку твоего допрошу — должен же он был видеть, кто его мутузил!

Татьяна пожала плечами.

— Я уже его спрашивала. Ничего он там не видел, но... может, ты как-нибудь по-особенному
спросишь... Пойдем. Только ты это, сильно его не
травмируй, постарайся аккуратненько, с подходом...

— За кого ты меня принимаешь!

Вадька не спал. Он уныло созерцал по телевизору
какой-то молодежный сериал и тянул через трубоч-
ку сок.

— Вадь, вот тут с тобой тетя Зина хочет поговорить, про бухгалтерские отчеты. Отвлекись на ми-
нутку, а?

Вадик охотно отвлекся. Он даже немного поше-

велился, пытаясь устроиться поудобней. Зинаида
уселась к нему на кровать, положила свою огромную
ладонь на руку паренька и с улыбкой милой тетуш-
ки начала «издалека»:

— Кто тебя избил, Вадик?

Парень перевел взгляд на мать, а потом снова
уставился на Зинаиду:

— Не знаю. А как это связано с отчетами?

— При чем тут отчеты? Я что, похожа на бухгал-
терскую мышь? Меня интересует, кто тебя так разукрасил, а ты про отчеты... — начала нервничать
Зинаида. — Лучше напрягись и припомни: как они
выглядели, что говорили...

Парень отвернулся к стене, вздохнул и коротко
буркнул:

— Не видел я, как они выглядели. Они сзади
подбежали, сначала с ног сбили, а потом давай би-
той по ребрам... по голове еще тоже, потом, кажется, по почкам... я не помню, сознание потерял.

— И что, они все молчком, что ли, махались?

— Нет, матерились еще. Вам маты передавать?

— Спасибо, меня уже материли. А вот мама твоя
говорит, что там про театр упоминали? — напомнила Зинаида. — Надпись опять же...

— Ну, да, было что-то... Вроде «забудь про театр»
или «не суйся в театр», что-то такое. А, вспомнил!
«Хрен тебе, а не место в театре!» — вот что говорили.
А надпись мне сделали, когда я без сознания был.
И переодели тогда же, иначе бы я не дался. Да я вообще помню только, как на остановке стоял, а потом кто-то сзади набежал, и удары посыпались. Очнулся я, когда вы мне на больное ухо ногой насту-
пили. В общем-то, от боли и очнулся. Я даже по те-

лефону маме не смог позвонить — не успел. Мам,
дай снотворного, а то чего-то опять...

— Все-все, Вадик, уходим. Зин, пошли. Пошли,
говорю! — зашипела Татьяна и потащила подругу из
комнаты.

Усадив Зинаиду снова за стол, Боева недовольно
нахмурилась:

— Ведь говорила тебе — осторожненько надо.
Он знаешь как переживает! Да еще и боли эти...
А ты — прям как топором!

— Я и так осторожненько, — оправдывалась
та. — Я ведь не спросила: «Как же ты теперь кале-
кой-то жить будешь?», или «А не задет ли мозг?»
Я вполне тонко подошла. И по делу. А как еще рас-
следование-то проводить?

Татьяна задумалась. В раздумье она отщипывала
листики с какого-то цветочка и медленно жевала,
сильно кривясь. Потом плюнула, с укором взглянула на гостью, как будто это Зинаида только что об-
кусала дорогой цветок, и решила:

— Знаешь, я вот что придумала. Ты в выходные
дома план наметь, чем нам заниматься, а потом мы
уже вплотную, так сказать, и примемся расследовать.
Только смотри, буром-то не при, тут с хитростью
надо. Ну, в общем, ты придумаешь, сама говоришь,
раскрыла уже одно преступление. А сейчас давай о
себе расскажи, а то я тебя на работу как свою устроила, а ничего про тебя и не знаю.

Зинаида у Татьяны просидела еще часа два, а
потом рванула домой. В этих убийстве с избиением
надо было разобраться, а разбазаривать время —
значило работать на преступника.

Не успела она перешагнуть порог дома, как на нее обрушилась целая какофония звуков: взревела музыка, кто-то радостно завизжал, защелкали пробки от шампанского, а саму Зинаиду кое-как взгромоздили на плечи какому-то хилому мужичку и, по дороге стягивая сапоги и пальто, поволокли на кухню. Там на столе высились красивые бутылки, в тарелках обливались майонезом салаты, курица источала копченый аромат, и кто-то даже умудрился сообразить холодец! И все же никаким столом Зинаиде невозможно было запудрить мозги.

— Господи... мамочки... Да что такое творится-то... люди добрые... — бормотала она, цепляясь за дверные косяки. — Граждане, прекратите меня таскать... Уберите руки с талии, мужчина!

Надо сказать, Зинаида была опытным детективом, как-никак целое дело раскрутила, а потому возмущалась весьма деликатно. Кто знает, а вдруг это преступники решили оргию тут устроить? Зачем же зря людей гневить, себе дороже. Вокруг нее скакали незнакомые люди, чужие мужчины тягали ее из стороны в сторону, не зная, куда пристроить, а посторонние женщины по-поросячьи визжали и хлопали в ладошки. Непонятно, кто ее поджидал и что задумал, а посему пока надо было сдерживать эмоции. Сдерживать становилось с каждой минутой все труднее — ее куда-то тянули за руки, платье задиралось, жутко ныла спина, дважды ее треснули головой о дверь, но когда хилый мужичок вместе с ней опрокинулся мимо стула, Зинаида уже не выдержала:

— Пре! Кра! Тить! — вскочила она с пола и гневно топнула ножкой. — Я вам резиновая кукла, что ли? Чего вцепились? И вообще! Что сие значит?!

Тут со здоровенным пирогом вплыла в кухню Юлька и засветилась самым необыкновенным счастьем:

— Зинаидочка Ивановна! В наше время так сложно найти хорошую работу, а вам удалось! И это чудно! По данному поводу мы с друзьями решили устроить вам небольшой праздник и вместе с вами порадоваться!

Зинаида жутко подозревала, что молодежи уже давненько хотелось собраться вместе, устроить гулянку и «порадоваться» просто так, все равно с кем. Чего говорить: и Юлька, и Игорь были неплохими жильцами, и такое сборище у них было впервые за несколько месяцев, а ведь они совсем еще молодые. Поэтому хозяйка сладко оскалилась и проворковала:

— Проказники... Ишь какой праздник устроили! У меня чуть камни из почек не выскочили... Только я не готова сейчас праздновать. Ах, не нужно меня уговаривать, не нужно! Я должна хорошо выспаться и достойно подготовиться к трудовым будням. Вы уж тут без меня...

— Ну ка-а-ак же без ва-а-ас? — прилежно загнусавили женщины, а мужчины стойко подавили вздох облегчения. — Мы хотим с ва-а-ами...

— Нет, нет и нет! — категорично заявила Зинаида и сделалась строгой. — Гуляйте одни, а мне еще надо просмотреть последние газеты. Не могу же я выйти к столикам, не зная, что творится в мире! А если какому клиенту взбредет в голову спросить, кто сейчас президент Эфиопии? Вот то-то...

С совершенно измученным видом она подхватила Мурзика, который усердно лизал холодец из чьей-то тарелки, подхватила клочок газеты, в которую был завернут сыр, и удалилась к себе «просматривать газеты».

Про прессу она, конечно, забыла сразу же, как переступила порог своей комнаты. И вот Зина переоделась в старенький байковый пеньюар и теперь вышагивала по ковру, пытаясь усвоить все, что ей сегодня рассказала Татьяна. Под ногами крутился Мурзик, выписывал восьмерки и путал мысли.

— Мурзон! Я вовсе даже не занимаюсь дрессировкой, и мяса нам за это никто не даст. Ты вот лучше скажи, что общего между карликовой старушкой и умным, образованным парнем?

Мурзик вяло мявкнул.

— Вот не надо! Не надо мне лишний раз напоминать, что тут замешан театр! Хм, «Я не такая!»... Ну, допустим, старушка действительно была не такой, но парень-то вполне обычный! У него и рост... Да-да, не спорь, я же видела, какой он длинный под одеялом! — убеждала кота Зинаида. — Рост у него нормальный, вес тоже, не толстый и не дистрофик. Руки-ноги целы. Целы-целы, я заметила, он ногами шевелил, когда пытался приподняться. Тогда что? И со старушкой непонятно... Скажи на милость, что такого она сделала, что ее сначала придушили, а потом еще и сожгли? Вот Татьяна говорит, что, дескать, Софья Филипповна подзуживала директрису ехать в Англию без коллектива. Но это же смешно! Неужели Ивская совсем без головы? Да на бабушку можно было дунуть как следует, она бы про все на свете забыла! Нет, это не причина. Тогда что?

За дверями сначала слышались бурные крики, потом голоса стали умолкать, и на какое-то время наступило затишье, а после накатил новый шквал радостных воплей. А Зинаида все шагала по ковру и ломала голову.

— Зинаида Ивановна! — раздался вежливый голос одновременно с вежливым стуком в дверь.

Кто-то за нею шуршал, возбужденно шептался и даже тихо переругивался.

— Зинаида Ивановна, откройте, у нас для вас сюрприз! — пела за дверью Юля.

Вот чего не хотелось Зинаиде Корытской, так это незапланированных сюрпризов. Однако сегодня она уже выступила в роли доброй феи, а потому следовало роль играть до конца.

— Ну, что вы там еще придумали, непоседы? — словно добрая бабушка, проворковала Зинаида, костеря в душе неугомонных квартирантов.

Перед ней стояли молодые женщины, и двое из них держали в руках увесистые баулы.

— Вы, девочки, тоже ко мне... квартироваться? — чуть не заплакала Зинаида, из последних сил стараясь сохранить лицо.

— Ой, ну что вы! Хи-хи! Мы же говорим — сюрприз! — Девушки ринулись в комнатку и принялись с азартом распаковывать сумки.

Чего тут только не было! Косметика, одежда, обувь...

— Давайте мы сначала вас накрасим! — порхали вокруг хозяйки чуть хмельные девчонки. — Накрасим, накрасим! Не спорьте! Вы теперь на работу пойдете, а лица совсем нет! Это что, разве это глаза? Прям, как у вареной рыбы! Люся, где у тебя тоник? Дурочка! Надо сначала маску сделать! А губы... Нет, ну если сначала карандашом пройтись... Слушайте, а давайте ей новую форму губ придумаем!

Зинаида сначала пыталась сопротивляться, но

потом правильно посчитала, оценив сюрпризный напор, что лучше сдаться.

Целый час девчонки колдовали над породистыми чертами лица Зинаиды Корытской. Чуть меньше времени ушло на прическу. Вероятно, потому, что с таким количеством волос просто невозможно было что-то особенное выдумать. Зато на одежду ушло часа полтора — пока все не перемерили, не успокоились.

— Ну вот, теперь смотрите в зеркало! — выдохнула одна из девушек, которая в узеньких джинсиках.

Зеркало тут же притащил Игорь из своей комнаты, и Зинаида, затаив дыхание, подошла оценить девичьи старания.

Из зеркала на нее глянуло незнакомое ехидное лицо. Какие-то яркие, вызывающие глаза, румянец, не матрешечный, а как у женщин в богатых журналах, и красиво изогнутые губы. Волосы, правда, подвели — после постоянной тугой косицы они теперь изгибались неровным бараном и в правильные волны укладываться категорически не желали. Зато наряд! Узкая юбка до середины колена, а потом — черные замшевые сапоги! Сверху, правда, красиво болтался просторный пуловер бананового цвета, но все портила далеко выпирающая грудь. Выходит: правду Танька говорила — надо эту бахчу куда-то прятать. Но сапожки! Вот именно так и должен выглядеть меднеж... менеж... черт, ну тот, который по кадрам!

— Отпа-а-ад... — удивленно протянула высокая девица.

— Ой, Зинаидочка Ивановна! — порхала вокруг хозяйки Юлька. — Ой, ну так классно! И так стильно! У вас на работе все просто выпадут!

— Нет, Зинаид Ванна, вам точно так классно! —

проняло даже Игоря. — У нас во дворе тетка молоко продает, вот точно так же одета. Красиво.

Зинаида глубоко вздохнула и принялась стягивать сапоги.

— Вы что? — вытаращилась незнакомая длинноногая девчонка. — Вам не понравилось?

— Да как же такая красота может не понравиться! — усмехнулась Зинаида. — Понравилось, конечно. Да только денег у меня на все нет.

— Ну и что? Сейчас нет, а завтра будут. Вы же теперь работать будете, отдадите! — не умолкали девчонки. — Даже и не думайте, мы подождем. Берите, берите! И юбочку, и пуловер. Кстати, Юль, скажи, вот эта кофточка тоже классно смотрится, да? И ее возьмите. А с получки вернете.

Только стальная женщина смогла бы удержаться от соблазна. Зинаида стальной не была, а потому в ее гардероб уверенно переселилось все содержимое девичьих баулов. Больше всего Зинаиду сразили модные, удобные сапоги и роскошное пальто нежного персикового цвета. Она наивно дала себя уговорить и улеглась спать, твердо решив с завтрашнего утра переродиться в умную, деловую леди, как того требовали новые тряпки.

Половину воскресного утра Зина просидела перед зеркалом, терпеливо пытаясь воссоздать на лице вчерашнюю красоту без посторонней помощи. Сначала получалось неудачно: то глаз размажется, то губы уедут куда-то на щеку, а то и вовсе — расплывется тушь. Приходилось начинать все заново. К обеду женщина вышла уже с плодами собственных трудов на лице. Правда, одна бровь взлетала высоко под челку, а вторая ломалась где-то у виска, румяна намекали на высокую температуру, а губы стали раза в два толще собственных, но стиль просматривался.

Юля терзала хлеб тупым ножом, а за столом уже восседал Игорь.

— Юленька! А что у нас на обед? — напевно спросила Зинаида, не забывая интенсивно приседать — она не успела размять суставы и теперь скоропалительно делала гимнастику.

— У нас сегодня... Ой! Кто это вас так, Зинаида Ивановна? — всплеснула руками девушка. — Что это у вас с глазами?

— Это я сама накрасилась новой косметикой, — засмущалась Зинаида. — Нравится?

Пока Юлька вспоминала словарный запас, Игорь причмокнул языком:

— Все, Зинаид Иванна, все мужики ваши будут. Только лицо умойте.

— Да ну тебя, Игорь, в самом деле! — махнула на него полотенцем жена. — Не слушайте его, для первого раза весьма прилично. Садитесь. У нас сегодня такой обед — пальчики оближешь. Я приготовила борщ!

Зинаида проглотила ком в горле, и обедать ей моментально расхотелось. Что-то с некоторых пор борщи у нее стали вызывать легкую тошноту.

— Вы обедайте, а я... я пройдусь, мне по делу надо, — вежливо откланялась она и юркнула в свою комнату.

Зинаида достала персиковое пальто, нацепила новые сапожки и решила просто пройтись, чтобы свыкнуться с обновками. Что там Игорь сказал — все мужики ее будут? Ну, тогда удобнее всего привыкать к новым сапогам возле дома Игната Плюха. Нет, нет, она вовсе не собиралась задирать нос и, не дай бог, кого-то высматривать, просто там и сквер рядом, и воздух замечательный, и урны на каждом шагу, и прочие мелочи...

Через полчаса дама в новом пальто уже чинно вышагивала по аллее. Она старалась по-балетному ставить стопу и держать спину, и — черт возьми! — на нее даже оглянулся один мужчина с тяжелым звякающим пакетом. Окна Плюха выходили именно на аллею, но это, конечно же, было чистым совпадением. Она сама сейчас просто так вот ходит и... Да, да, ходит и размышляет... Например, о том, что хорошо было бы, если бы выскочил из дома Игнатий, увидел бы ее всю такую современную, обновленную, стильную и стал бы немедленно просить прощения! Или нет, он бы лучше пригласил ее к себе! Или даже... Господи! Да она вовсе и не думает ни про какого Плюха! Она сейчас думает только про Вадьку. Кто и зачем так разукрасил парня?

И в самом деле — зачем? Если допустить, что это обычные хулиганы, тогда... Тогда они бы стали либо приставать к Вадьке, нарываясь на скандал и драку от скуки, для веселья, либо оглоушили его с целью грабежа. Если бы хотели драки, Вадим бы их помнил. А он сказал, что ударили со спины. Тогда получается, что хулиганы избили парня с целью наживы. Но чем же они нажились, если в джинсах у Вадьки остался телефон? Надо позвонить Татьяне, спросить, не было ли у парня с собой денег. Но это так. На всякий случай, потому что версия с хулиганами Зинаиде вообще не нравилась: где они взяли тогда то чудоьищное платье? Ведь не простое, а

именно с горбом и накладной грудью... Платье...
Ну, конечно, платье! А она-то дура...

— Зинаида. — Вдруг кто-то осторожно ухватил
женщину за локоть. — Я думаю, нам надо мириться.
Пойдем ко мне, а?

Наша сыщица очнулась от раздумий. Перед ней
стоял виноватый Игнатий. Ветерок трепал полы его
длинного черного пальто, из-под которого виднелись домашние брюки и тапки.

— Ну, пойдем... Я тебе такие конфеты привез!

— К тебе? — не видящими глазами уставилась
на него Зинаида. — Слушай, ты мне сейчас все мысли распугал! Не видишь — я работаю. Умственно,
между прочим! А ты выскочил тут... со своими тап-
ками... И вообще — какие конфеты? Иди лучше
Нюрке их в рот складывай!

Плюх только раздосадованно покачал головой и
поспешил к табачному киоску.

— Итак, — снова наморщила лоб Зинаида, — на
чем я остановилась? На платье! Надо срочно бежать
домой и усаживаться к телефону. Стоп! А чего, интересно, хотел Игнатий? И куда я записала телефончик Татьяны? Господи, когда же я стану на-
стоящей деловой леди?

Дома Зинаида первым делом позвонила Татьяне:

— Тань, это Зинаида. Слушай, а куда ты дела
платье?

— Платье? — не понимала Татьяна, о чем речь. —
Ну... я его сняла... А чего?

— Я понимаю, что сняла, а куда дела-то?

— Так это... я его сняла, положила в стирку, а
сама сейчас мыться полезу. А уж потом пижаму на-
пялю, — подробно отчитывалась Боева.

— Да при чем тут твоя пижама? Ты платье уже стирала? Ты, Тань, его не стирай, я приду, мне его рассмотреть нужно как следует.

На другом конце провода повисло молчание, потом Татьяна неуверенно заговорила:

— Так это... я его только что сняла, не успела постирать, мыться ж полезла. А... ты чего на моем грязном платье разглядывать собираешься? Фасон, что ли, какой у него?

Зинаида от полноты чувств покрутила пальцем у виска, не подумав о том, что собеседница ее не видит:

— Вот о чем только человек мыслит? Таня, я не про твое платье говорю. Я про то, в которое Вадька был наряжен, ты что, не понимаешь? Ведь кто-то его носил! Может, от прежнего хозяина что-то осталось, надо рассмотреть хорошенько...

— Ха, осталось что-то от хозяина! — невесело усмехнулась подруга. — Платья-то уже нет. Сожгли его, еще в больнице.

— Жаль, — коротко бросила Зинаида и уложила трубку на рычаг.

Такая прекрасная идея — найти хулиганов по платью — сгорела вместе с нарядом.

Пока Зинаида раздевалась, возле ее двери терпеливо топталась Юля.

— Зинаида Ивановна, — аккуратно поскреблась девчонка. — Я чего хочу-то... Давайте посчитаем, сколько вам за вещи отдавать придется. Только не пугайтесь, девчонки сказали — расплатитесь, когда сможете!

Юлька испортила весь деловой настрой Зинаиды. Только-только дама стала получать удовольствие от новых вещей, и — здрасте-пожалуйста, подсчитаем деньги!

— Юля! И когда ты только своему мужу время начнешь уделять? Сбежит от тебя Игорек. Вот я бы уже точно сбежала, — призналась Зинаида, тяжело вздохнув.

Юлька только дернула плечиком и по-свойски влетела в комнату хозяйки.

— Вот, смотрите: это Аленка за косметику написала, тут три триста. А вот это Маринкина запись — кофточки там, юбка. Еще тысяча двести. Затем Ирине за сапожки — пять семьсот, и пальто...

— Сколько-о-о-о? — чуть не рухнула мимо стула Зинаида. — Сколько стоят эти носатые лапти? Пять семьсот? Да сапожкам красная цена — полторы тысячи вместе со мной! Чокнулась твоя Ирина, да? На одинокой безработной нажиться хочет? Так, сапожки я не покупаю! — категорично заявила Зинаида, и от обиды у нее задергался подбородок. Она проглотила ком в горле и принялась себя успокаивать: — Ничего, буду в туфельках ходить, у меня еще и резиновые сапоги с юности сохранились, вот чему износу-то нет! А то, ишь, пять семьсот!

Юлька не больно близко принимала к сердцу душевную катастрофу соседки, она терпеливо выждала, когда та на секунду захлопнет рот, и добила окончательно:

— И еще пальтишко — двенадцать тысяч пятьсот. Всего — двадцать два семьсот!

Минуты три Зинаида — не мигая, молча — смотрела на девчонку. Потом попыталась что-то сказать, но рот только беззвучно шамкал. Наконец она выдавила:

— Уйди с глаз моих, садистка! Ничего платить не буду, забирай шмотки!

— Но... Зинаида Ивановна! Ну чего вы в самом деле! Это же не Китай какой-нибудь! Дорогие женщины ходят в дорогих вещах!

— Я не настолько дорогая! — быстро вякнула Зинаида. — И куда твои глаза смотрят — дорогую нашла... Да я лучше повешусь! Надо же, такие деньжищи...

Она вдруг подскочила со стула и понеслась в коридор.

— Неужели и впрямь побежала вешаться? — изумленно вздернула бровки Юлька.

Однако Зинаида и не думала о суициде. Она уже прижимала к уху трубку и кричала на весь коридор:

— Алло, Тань, почему трубку не брала? Я ведь что хотела... А, ты из ванной вылезала, еще не помылась... Чего тебе там мыть-то столько времени, ты же не статуя Свободы, прямо не знаю! А ты завернись в полотенце, если с тебя пена капает, только я не могу перезванивать, забуду, что спросить хотела. А я спрашиваю — у Вадима твоего деньги с собой были? Ну когда, когда... когда на него напали! И сколько? Что, с курткой? А специально не шарили? Лентяи, даже осмотреть человека как следует не могут... Да нет, это я про себя. Все, Танечка, иди мойся, легкого тебе пара...

Зинаида положила трубку и задумалась.

Выходит, у Вадьки деньги были — четыре тысячи на карманные расходы. Но они лежали в куртке. И специально никто к нему в карманы не лез, просто парень потерял куртку, разумеется, вместе с деньгами. Значит, не хулиганы это были... Нет, ну надо же — студентик на карманные расходы запросто таскает с собой четыре тысячи! А тут...

Зинаида вдруг растянула рот в хитрой улыбке и поплыла назад в комнату, виляя домашним халатом.

— Юленька! Я решила, что не буду отказываться от вещей, чего уж там...

— Да и в самом деле! — поддержала ее девушка. — Кто же их за такую цену еще купит? Тем более после вас!

— Да-да, я решила оставить. Но... Знаешь, какая меня идея клюнула? С сегодняшнего дня ваша плата за жилье увеличивается втрое.

— За этот сарай? — выпучила Юлька глаза.

— Но ведь должна же я где-то брать деньги! А ты сама меня научила — дорогие люди должны дорого платить, — растеклась Зинаида в приторном оскале. — А сейчас я хочу побыть одна, ступай, детка.

Детка ступать не хотела, она отвесила губы и теребила подол халатика.

— Ладно, Зинаида Ивановна, я скажу девчонкам, чтобы цены скинули... — промямлила она, — до двенадцати тысяч. Пойдет?

Судя по тому, как легко сбила Юленька чужие цены, Зинаида сообразила, что девица и сама немного желала подзаработать на чужих обновках.

— Двенадцать? Пожалуй, пойдет, — согласилась Зинаида и тут же быстро добавила: — Только в рассрочку на полгода!

Юлька ускакала к мужу, а Зинаида принялась накручивать бигуди. Никогда прежде она не спала с такой красотой, но новая работа требовала новых жертв. Уснуть долго не получалось — голова никак не хотела мириться с кочками, везде жало и давило, и только через три часа с кровати несчастной дамы донесся сочный храп.

Ночью ей приснился Большой театр. Зинаида Корытская никогда не бывала в Москве, а уж тем более в Большом театре, поэтому во сне театр был маленький, неказистый, похожий на деревенский клуб, куда маленькую Зину отправляли каждое лето. Однако в зале играла настоящая классическая музыка, тягучая и угнетающая, а на деревянной сцене прыгали настоящие балерины в торчащих колом юбочках. А потом выскочил здоровенный дядька в женских колготках, схватил одну, самую дохленькую балеринку, и стал носиться с ней из угла в угол. Музыка заиграла быстрее, и дядька стал поднимать балеринку, будто штангу. Та извивалась, громко мычала и, по всей видимости, страдала.

— Отпусти тетеньку, гад! — крикнула Зинаида дядьке.

Но «тетенька» обернулась и оказалась Вадькой.

— Чего вы лезете? — недовольно отозвался он. — Я вам вовсе не тетенька! А это и не гад вовсе никакой, а Софья Филипповна!

От одного только имени Зинаида проснулась.

— Надо же... приснится ведь ересь такая... — тряхнула она головой, пытаясь отогнать тяжелый сон.

На улице, прямо под окном, стояла неизвестная машина, и оттуда доносилась классическая музыка, правда, в современной аранжировке.

— Вот паразиты, ни днем ни ночью покоя от них нет, — проворчала Зинаида, укладывая на подушку многострадальную голову.

Теперь сон испарился окончательно, а стрелки часов показывали лишь половину четвертого утра.

— Еще эта Софья Филипповна... С чего это ей вздумалось дядькой мне присниться? — ворчала сыщица. — Татьяна говорила, она маленькая, почти карлик, а дядька такой огромный — одни ручищи, как слоновьи ноги.

Вдруг Зинаида затихла, а потом как была — в ночной рубахе — рванула в коридор.

— Алло! Алло! Таня? — кричала она в телефонную трубку. — Тань, я чего спросить хотела: а как ты узнала, что у Софьи на руке было написано? Она же сгорела!

В трубке долго молчали, потом сопели, потом, очевидно, проснулись, и хриплый голос Боевой произнес:

— Слышь, Зин, у тебя соседей-мужиков поблизости нет?

— Есть... Игорь за стеной. И подо мной бугай какой-то живет, — растерянно ответила Зинаида. — А что случилось-то?

— Ты, Зин, сходи к этому Игорю, долбани ему в двери и крикни, что он козел. Может, он тебе лицо набьет. А нет, тогда бугая обматери. Должен же кто-то тебя отчихвостить, чтобы ты народ в такую рань не будила.

— Ну, знаешь... С чего это я мужиков будить пойду? Ты вообще знаешь, сколько времени?

— Я как раз про время и говорю, — зевнула в трубку Боева. — Иди, спи, а? На работу же к десяти. Я тебе адрес Софьиной дочери дам, сама сходишь и спросишь.

Больше Татьяна говорить не стала, а попросту бросила трубку. Зинаида поплелась к себе, попыталась уложить голову на бигуди, но потом в сердцах

плюнула и стала сдирать парикмахерские орудия
пыток, бормоча:

— Да пропади ты пропадом, такая красота!

Затем, раз сон сбежал куда-то, она решила не
тратить драгоценного времени даром, а обдумать,
что же следует спросить у дочери потерпевшей. Однако обдумывать долго не удалось — лишь только
облегченная голова Зинаиды коснулась подушки,
как тут же женщина провалилась в сон.

На работу Зинаида вспорхнула легкая и свежая,
будто утренняя капустница. На ней красовались новые сапоги, новое пальто поднимало настроение, а
духи, которые навязала Аленка, мгновенно довели
окружающих до кашля.

Татьяна уже была за стойкой.

— О! А у тебя распашонка новая! — вздернула
она брови вверх. — Где взяла? Нашла?

— Ага! — передразнила Зинаида. — Нашла! За
двадцать три тысячи!

— Надо же, совсем даром. А чего, Китай, что ли?

Зинаида готова была разорвать подругу — чтобы
за двадцать три какой-то Китай?

— Ты, Таня, совсем в вещах не разбираешься,
да? Смотри! — Она нащупала ярлычок на пальто и,
неудобно извернувшись, стала тыкать кусочек тка-
ни Боевой в лицо. — Вот, читать по-иностранному
умеешь? Видишь — «Пума»! Америка, значит. Слышала такую фирму?

Татьяна со знанием дела разглядывала ярлык,
а Зинаида терпеливо ждала, застыв в позе статуи
«Женщина, метающая диск».

— Это не «Пума» американская, а «Рима», ты
по-русски читай. Наша фабрика, на правом берегу.

Между прочим, наши конкуренты, — рассмотрела Татьяна бирку и уперла руки в бока. — Чего это ты чужеродную продукцию на себя нацепила, да еще деньги им платить надумала? Где патриотизм?

Зинаида пригляделась. И в самом деле «Рима». Черт, надо же, какая неприятность... Она быстренько скинула пальто и решила увести тему в другое русло.

— Тань, я вот все думаю, а почему милиция уже наутро к Софьиной дочери заявилась? Откуда она знала, где дочь живет? Нет, они бы, конечно, узнали, но ведь не сразу же, а?

— Зина, я тебе адрес дочери дам, а там...

— И еще — вот ты сказала, что на руке Софьи Филипповны тоже надпись была. А как ее прочитали? Женщина-то сгорела...

— Я говорю — дам тебе адресок дочери! — не выдержав, взревела Боева. Но потом сообразила, что орать на спасительницу сына не совсем вежливо, и добавила: — Зин, видишь, в холле мужик толстый? Это наш посетитель. Да не простой, а с переподвывертами. Нам надо все внимание ему уделить, а ты меня отвлекаешь. Давай поговорим позже.

В бар и в самом деле входил мужчина. Окинув рассеянным взглядом заведение, он вдруг открыл рот и пронзительно заверещал:

— Со-о-о-оль, Танечка, дайте мне со-о-оль!

Зина кинулась за солью и величаво преподнесла своему первому посетителю маленькую солонку в виде хорошенького поросенка. Она даже немного присела, будто бы в реверансе, но ее старания не заметили.

— Вы надо мной посмеялись, да? — вдруг нали-

лись самыми натуральными слезами глаза пискля-
вого толстяка. — Я вас соль попросил! Со-о-о-ль!
А вы мне свинью подкладываете! Кто здесь работает?! Где Татьяна? Татьяна! Эта бестолочь у вас новенькая, что ли?

— Какая бестолочь? Эта? Новенькая! — тут же
подскочила Боева. — Видите ли, Аркадий Валерьевич, я ей про вас рассказывала, но она ни разу вас
не видела, не понимает вашей тонкой натуры. Но
мы ьсе исправим!

Зинаида изумленно смотрела, как Татьяна ко-
зочкой прыгала возле посетителя, щебетала, щебетала, а потом вдруг и вовсе — задрала голову вверх
и взвыла:

—А-а-а-а-а! Ммо-о-о-о-о! Мм-ы-ы-ы-ы!

Толстяка это нисколько не смутило. Напротив,
он плачевно уложил брови домиком, закатил глаза
и тонюсенько поддержал:

— Ммми-и-и-и-и! Танечка, душенька, а теперь —
ми-и-и-и-и! Вот! Вот! Сел на ноту! — обрадованно
вытаращился он на Боеву и выдавил: — Я люблю
ва-ас, я люблю вас, О-ольга!

Татьяна прижала ручки к шелковой блузке и
прямо-таки плавилась от наслаждения. Судя по тому, как она заглядывала в глотку певца, он должен
был немало платить за прослушивание. Зинаида решила тоже деньгами не швыряться, поэтому при-
хватила на всякий случай злосчастную свинью-со-
лонку, подошла ближе к толстяку и тоже преданно
заглянула ему в горло.

— Я люблю-у вас! Я люблю вас, Ольга! — заело
певца.

— Как способна лишь одна душа... — решила и

вовсе отличиться и блеснуть культурой Зинаида, но тут дядька крякнул, вякнул и умолк.

— Танечка, ну, совершенно нет возможности насладиться музыкой, — сквасился он и понуро отправился за столик.

Боева потряслась за ним, щебеча какую-то очередную ересь, типа: «Боже мой! Какое счастье вы доставили моим ушам!», а Зинаида остервенело терла стаканы. Похоже, начало работы оказалось не блистательным. И уж совсем погибло настроение, когда она увидела, как дядечка вальяжно сунул Татьяне в кармашек зеленую бумажку — сто долларов.

— Тань, а что это за дядька жирный такой? — спросила Зинаида у подруги.

Та наконец оставила клиента в одиночестве поедать геркулесовую кашу с персиковой подливкой и теперь прятала доллары в крохотную сумочку.

— Он что, разорившийся банкир? — не отставала Зинаида.

— Он, Зиночка, вовсе не банкир! — зашипела Татьяна, чтобы клиент не услышал. — Он — певец-неудачник! Всю жизнь мечтает петь в оперном театре, а сам визжит, как свинья в предсмертных муках, то и дело петуха пускает, — кто его возьмет.

— Вот уж! — фыркнула Зинаида. — А нос задирает, будто владелец банка. Я пойду, наверное, суну ему под нос солонку...

Татьяна пожала плечами:

— Ну, он, конечно, не владелец банка, но парочку магазинов имеет. Стройматериалами торгует. Объединение «Теремок» знаешь? Его детище.

— Да что ты?! — ухватилась за щеки Зинаида.

— А к нам приходит, потому что Альбинка Агапова ему такие костюмчики разрабатывает, что он килограммов на тридцать стройнее кажется. Он ей даже все стройматериалы отпускает за полцены.

Зинаида затосковала. Ей уже давненько надо было привести в порядок свою несчастную коммуналку, и материалов вокруг — горы, но везде такие цены... А здесь — за полцены!

Она не стала больше ничего спрашивать Татьяну про толстяка, а отважно отправилась к нему за столик.

— Простите, вы уже отзавтракали? — уселась она к нему за столик.

— Кхм, а... кхм, что случилось? — чуть не подавился тот.

— Я все ждала, ждала, когда вы наедитесь, а вы все едите и едите... — мечтательно уложила щечку на кулачок Зинаида.

Мужчина побагровел, схватил салфетку и от волнения сначала вытер ею губы, потом звучно высморкался, а потом протер взопревшую лысину.

— Я очень вас еще хотела послушать, — беззастенчиво врала Зинаида. — Как это вы... «Я люблю вас...» Мне про вас столько рассказывали! Девчонки буквально сходят с ума от вашего голоса. Я им не верила, а сегодня сама услышала...

Владелец «Теремка» начал оттаивать и даже налил даме минералки.

— Это кто же по мне с ума сошел? Не Елена ли Сергеевна ненароком? — безуспешно боролся он с довольной улыбкой.

— Да нет, с Еленой Сергеевной я на эту тему не разговаривала. С чего бы ей передо мной откровенничать?

— А вот и напрасно вы так. Ивская — замечательная женщина! Замечательная! — тыкал мужчина измазанной кашей ложкой прямо в нос Зинаиде. — Она собирает под свое крыло всех убогих, а чем они ей платят?! Вот возьмите Ию Львовну! Ведь Ивская не только ей работу дала — правой своей рукой поставила, личную жизнь ей устроила! Елена из нее модель — модель! — сотворила, и после этого Хорь выскочила замуж. За молоденького аспирантика. Еще и любовника себе завела, тоже молокососа. А вы видели эту красавицу? Не женщина, а водонапорная башня! И что Хорь? Как она отблагодарила Елену?

— Да! Как? — распахнула рот Зинаида.

— Да никак!

Мужчина разошелся. Вероятно, Елена Сергеевна серьезно волновала нежные струны души толстяка, потому что теперь он размахивал уже не только ложкой, но и обеими руками, редкими волосиками и даже гневно подрыгивал ножкой. Зинаиде это было только на руку — истинный патриот, Танечка слова дурного о коллегах не скажет, а сыщице очень бы хотелось знать, в каком коллективе работала несчастная Софья Филипповна. Поклонник директрисы продолжал кипеть:

— Никак она не отблагодарила! Мало того — она обирает наивную Ивскую! Складывает себе в карман тысячи, а Елене достаются крохи. А все почему? Ну, я вас спрашиваю, почему?! — кинулся он грудью на стол и чуть не воткнулся в Зинаиду носом.

— Почему же? — отшатнулась та.

— А потому, что Ие Львовне надо кормить молоденьких альфонсов! Не станут они бесплатно ее телеса терпеть. Не станут!

Зинаида сочувственно покачала головой. Нет,

молодежь нынче пошла избалованная, но если честно, эту бабищу сама Зинаида и за деньги бы не вытерпела.

— Но... но ведь с Ивской работает не одна Хорь, — осторожно напомнила она.

— Да. Не одна. Но и остальные тоже... Парикмахерша эта, Моткова, меня однажды так обкромсала, что все вообще подумали, что я плешивый!

Зинаида внимательно уставилась на обширную плешь собеседника. Странно, она всегда считала, что если плешь во всю голову, то тут парикмахер уже погоды не сделает, как ни подстригайся. Однако мужчина думал по-другому.

— Это я из-за нее плешивый такой, — доверительно сообщил он новенькой официантке. — Я ведь кудрявый сначала был. А потом сюда пришел, сразу после аварии. У нас материал разгружали, ну и ящик с брусками мне на голову опустился. И я сразу сюда! А эта Моткова... Вот в кого она меня превратила, видите? — Мужчина звонко пощелкал себя по блестящей голове. — Волосы все повылазили и больше не растут! Я даже в суд на нее хотел подать, но Елена отговорила. А та ходит, как цапля, на всех плюет со своего двухметрового роста. А чем гордиться-то? Кости торчат, как у обглоданной селедки, во все стороны веером. Да еще и хромая, как утка!

— Но...

— А Софья! Старуха уже, а туда же.

Зинаида замерла. Неужели мужчину так понесло, что он и покойницу не пощадит? Или не знает про ее гибель?

— Софья Филипповна? — уточнила она.

— Она. Тут только одна Софья. Да и этой не нужно! Вякает только в ухо Елене всякую чушь! —

Оперный фанат съежился, скривил лицо на манер печеного яблока и закривлялся: — «Еленоська Сельгевна! Красависа наса, благодетельниса! Еззайте за граничку одна, на фиг мы вам нужны такие уроды!» Тьфу!

— Не плюйтесь, мне потом мыть, — непроизвольно вырвалось у Зинаиды.

— А как не плеваться? Как ее вспомню... Вся такая благородная, правильная, а сама...

— А чего сама? — насторожилась сыщица.

— Да ничего! Просто хотела театр этот к своим сморщенным рукам прибрать! — выкрикнул мужчина и откинулся на спинку стула.

Стул так скрипнул, что даже Татьяна за стойкой подскочила. Так, на всякий случай — если клиент рухнет вместе со стулом, чтобы поспешить и его поддержать... Но он не рухнул.

— Театр прибрать? Разве такое возможно? — заморгала Зинаида.

— А черт его знает, — отмахнулся толстяк. — По закону, наверное, нет, только...

— Ну, говорите же, чего мычите-то?

У Зинаиды уже терпения не было разговаривать с этим недоразвитым мужиком! Имеет кучу новостей и до сих пор не может подойти к главному! А собеседник, видя, как загорелись глаза женщины, нарочно томил, выдерживал паузу. Он даже налил себе в высокий стаканчик минералки и, сощурившись от блаженства, принялся медленно пить.

— Чего «только»-то? — теребила его Зинаида, но тот никак не мог напиться.

Пришлось его треснуть по загривку, дабы вода быстрее проскочила. Вода проскочила, да не туда — прямо на свежую рубашку посетителя.

— Вы это чего себе...

— Ну, говорите — чего «только»?! — по-свойски отряхивала капли с костюма клиента Зинаида и даже старательно протерла голову мужчины салфеточкой.

Тот хотел было обидеться, но глупая новенькая официантка смотрела на него с таким интересом, что он решил не капризничать.

— Вот я и говорю — Софья Филипповна эта вся такая масляная, всем угодить старается, а сама прямо щука какая-то, палец в рот не клади! Она чем-то пугает Елену.

Похоже, мужчина и в самом деле не знал о гибели старушки и расшвыривал ценную информацию во все стороны. Зинаида облизнула губы.

— Чем? Чем она может ее пугать?

— Не знаю, — вальяжно развалился посетитель. — Я спрашивал у Елены, а та только смеется. Ясное дело — боится.

— А может, Софья Филипповна и не пугала вовсе?

— Ха! Я никогда ничего не выдумываю, запомните это на будущее, — выдохнул мужчина в лицо Зинаиде, потом прикрыл глаза и скорбно рассказал: — Однажды я купил цветы, дабы принести их Елене Сергеевне. В магазин рядом с моим офисом розы привезли бракованные. Нет, ну они еще хорошие были, только обломанные немножко, зато дешевые. А про меня, знаете, что тут говорят? Говорят, что я скупой, жадина-говядина. А тут такой случай появился — блеснуть щедростью... Я нес букет в кабинет Елене, хотел войти и обсыпать ее цветами, чтобы она не успела увидеть, что розы-то покореженные. Подхожу и слышу, что Ивская не одна.

Я ухо к двери приложил, слышу, ей Софья командным таким голосом диктует: «Нет уж, милочка, я настаиваю! И не вздумайте ослушаться!» А Елена ей в ответ овечьим голоском блеет: «Но я сейчас не смогу! Вы мне дали слишком маленький срок, это так не делается!» Это наша Ивская — ей, представьте! А та гнет свое: «Тогда я сама займусь бумагами!», и так решительно ковыляет к двери. Ивская ей: «Софья Филипповна! Ну, постойте же!» А та: «Нет!» И мне дверью по голове — бац! И гордо так по лестнице вниз!

— А Ивская что?

— А что она... Я только нацелился в нее букетом бросить, а она мне и говорит: «Аркадий Валерьевич! Не вздумайте здесь мусорить, у нас техничка на больничном». И мимо меня. Вот! А вы говорите!

Зинаида уже ничего не говорила. Она сидела за столом и задумчиво допивала минералку. Аркадий Валерьевич печально смотрел на пустую бутылку. Он пытался себя убедить, что ему нисколько не жалко воды, но однако... однако она же кончилась! А он бы и сам мог выпить...

— Аркадий Валерьевич! Вам еще что-нибудь? — появилась из-за барной стойки Татьяна. — Чем это вы так нашу официантку обворожили, что она и про работу забыла?

Танечка мило улыбалась, не забывая долбить острым носком туфельки подругу по ноге.

— Ах, чаровник, ах, обольститель! — лукаво играла она глазками и уже за шкирку вытаскивала Зинаиду из-за столика.

— Минуточку! Аркадий Валерьевич! — цеплялась та за скатерть.

— Нет, вы на нее посмотрите! — фальшиво округляла глаза Татьяна и открыто, пинками гнала подругу от клиента. — Да вы просто очаровали ее своим пением! Вам пора на большую... сцену!

Аркадий Валерьевич расплылся, зарделся, смущенно пожал толстыми плечами, дескать, что же делать, вот такой уж я уродился — не могут женщины устоять, и все тут. Потом еще раз оглянулся на пустую бутылку, выложил на столик деньги и поспешил из бара.

Зинаида обиженно запыхтела, одергивая кофточку.

— Вот вечно ты влезешь, когда не надо! — рыкнула она на Боеву. — Чего тебе за стойкой не сиделось? Прям весь допрос мне испоганила!

— А ты не устраивай на работе допросов! — огрызнулась та. — Что, не могла его куда-нибудь пригласить? Возле меня девчонки наши крутятся — то Лидка Данилова забежала, то Альбина, а они тут всем кости перемывают! Ты что, об осторожности вообще, что ли, никогда не слышала? А если бы Ия зашла? Да ты бы уже сегодня снова безработной была!

Зинаида притихла. Действительно, что-то она увлеклась.

— А разве хорошо слышно было?

— А то! Конечно. Я уж и так музыку постаралась на всю катушку включить. Но Лидка не болтуша, она ничего не скажет, даже если и услышала, — успокоила Татьяна и призадумалась. — Надо же! Наша-то Софья, оказывается, держала Ивскую в кулачке... Хотя что-то мне не очень верится.

Зинаида ничего сказать не могла, старушку она не знала.

— Слушай, — вдруг предложила Татьяна. —

Я тебе сейчас домашний адрес ее дочери дам, у меня где-то записан был, а ты к ней сбегай.

— Прямо сейчас?

— А чего? Можно и прямо сейчас. Сколько же на месте топтаться? Еще и к самой Софье Филипповне, пожалуй, зайди. Только адреса Софьи у меня нет, я тебе так нарисую. А завтра я с Вадькой дома посижу, врач должен приехать аж из Новосибирска, а ты полдня за меня постоишь, идет?

Зинаида кивнула, и Татьяна кинулась искать по ящикам ручку и бумагу. Адрес дочери Софьи Филипповны у нее был записан в телефонной книжке.

— Это мне Софья сама записала, если, дескать, она срочно понадобится, так чтобы звонили туда. А вот... так подожди, домик некрасиво нарисовался... Вот здесь дом самой Софьи. Мы вообще-то друг к другу в гости не ходим, не принято это у нас, а недавно, незадолго до своей смерти, Софья Филипповна устроила себе такой пышный юбилей! Вообще-то, ей шестьдесят два было, а она справляла шестьдесят. Потому что, говорит, вы со мной шестидесятилетний юбилей не отмечали, а больше его и не будет! Очень шикарный стол закатила, прям жуть. Я тогда так обожралась, господи прости, так накушалась! Потом на одном фестале сидела. Представь, она чучело утки заказала. Прямо в перьях! Утка эта на столе стояла, а Софья все нам предлагала ее попробовать. А как есть в перьях-то? Так и осталась утка нетронутой.

— Ты пиши давай!

Татьяна дорисовала план расположения дома, и Зинаида нырнула в новое пальто.

— Если что узнаю — вечером тебе позвоню, — пообещала она и выпорхнула из бара.

Осенний денек был не солнечный, но и не злой. Просто пасмурно, и все. Зинаиду же теперь пасмурная погода не пугала — в новом одеянии она сама лучилась, как новая монета. Всмотревшись в листок с адресом, она весело присвистнула:

— А доченька-то проживает в трех остановках от моего дома! Очень удобно.

В своем районе Зинаида прекрасно знала все дома, поэтому и нужный адрес отыскала быстро.

Глава 3

В такие уши грех не врать

Дочь Софьи Филипповны Валентина проживала в обычной панельной пятиэтажке, на втором этаже. За дверью слышались женские голоса и мужской басок. Однако когда Зинаида позвонила, открывать ей не спешили. Она позвонила еще раз и еще. Голоса смолкли, а к двери так никто и не поторопился.

— Валентина! Открывайте немедленно, я слышала, что вы дома! — властно прокричала Зинаида в самую замочную скважину.

Она попыталась еще и заглянуть в отверстие для ключа, но замки теперь стали делать такие, что порядочному человеку и глаз упереть некуда. Абсолютно никакой возможности! А уж она и так прилаживалась, и эдак... Неожиданно дверь так быстро распахнулась, что сыщица еще не успела выпрямиться, и перед ее глазами возник чей-то живот в цветастой футболке.

— Во народ пошел! — крикнула кому-то в комнату крепкая темноволосая женщина лет сорока. — Слышь, Вер! Я говорю — народ пошел, не успеешь открыть, а они уже кланяются. Чего надо-то? Голосовать все равно не пойду, хоть на колени падай!

Зинаида выпрямилась и бросила на женщину высокомерный взгляд.

— А я, собственно, вас никуда и не зову. Я к Валентине! — заявила она.

У женщины моментально глаза загорелись недобрым огнем.

— Вер! Верка! — снова рявкнула она в комнату, и в прихожей появилась сухонькая дамочка с острым, как клюв, носом и с белесыми глазами навыкате. — Вот она, Верка, полюбуйся! Легка на помине!

Остроносая Верка вышла в коридор и с неприязнью оглядела Зинаиду.

Зинаида еле сдержалась, чтобы не наговорить женщинам «любезностей», но с ругани начинать допрос — загубить все дело, так ей думалось, поэтому она только поджала губы и без приглашения шагнула в квартиру. Затем повернулась к той, что открыла ей дверь:

— У меня, Валентина, к вам серьезный разговор. Мне в гостиную проходить?

Валентина не собиралась пропускать гостью ни в гостиную, ни в кухню. Она уперла руки в крутые бока и забасила:

— Никаких разговоров! Ты уже пожила всласть, теперь наш черед. И даже не упрашивай, твоя песенка спета!

Зинаида взглянула на Валентину и вдруг поняла: а и в самом деле, эта бабища запросто может жизни лишить, вот только кулаком размахнется... Эх, неужели учуяла, что Зинаида на след напала? Скорее всего, доченька матушку, Софью Филипповну, и прикончила. А теперь, кажется, ее, Зинаиду, убивать собралась.

— Понежилась и хватит! — продолжала голосить Валентина.

— Вы знаете, — «выкинула белый флаг» Зинаида, — я, в общем-то, не нажилась еще. То есть, я бы и еще не против... Да и не нежилась как следует, правду вам говорю...

Внезапно послышался грохот, страшный треск, и до дамских ушей донесся отчаянный мужской вопль:

— Ва-а-аля-я-я! Валюша-а-а-а! Помоги!

Зинаида вздрогнула, Верочка начала мелко трястись, а Валентина еще больше набычилась и побагровела, но принципиально мольбы о помощи «не услышала». Однако и проситель не умолкал:

— Валька, стерва кривоногая! Щас оборвусь на хрен с тво́во балкона! Убьюсь к чертям собачьим!

Валентина ткнула подругу в бок и оглушительно зашептала:

— Верка! Иди скажи ему, пускай лучше сам убивается. Жена его пришла, она его все равно пришибет насмерть!

Верка дернулась в комнату, а Валентина уже надвигалась на гостью животом и грубо выпроваживала:

— Вы, я смотрю, уходите? Вижу-вижу, торопитесь... А я не задерживаю, нет-нет! Сами ж понимаете — незваный гость, что в горле кость.

Зинаида уже смекнула, что убивать ее сегодня не будут, и вообще — ее здесь приняли за кого-то другого, поэтому она уверенно отодвинула хозяйку и прошла в комнату. В комнате была настежь распахнута балконная дверь, и было прекрасно видно, как по ту сторону перил болтается мужчина и изо всех сил цепляется за них. При этом он нещадно покрывал матами и себя, идиота, и ту любимую и единственную, к которой завернул сегодня, «как последний лох — на груди пригреться!» Рядом с ним торчала Верочка и остервенело долбила мужчину по пальцам, чтобы он оторвался и не позорил доброе имя подруги.

— У вас там господин на балконе болтается, так вы его в дом затащите, чего ж он на ветру полощется? — кивнула Зинаида на бедолагу.

— Не ваше дело! — рыкнула Валентина. — Это совсем даже не господин, это... это... садист. Ну, цветы он садит у меня в ящичках, озеленитель. Оборвался, наверное.

— Генка! — шипела верная подруга Верочка. — Отцепляйся, паразит такой! Твоя цапля нарисовалась, все равно скинет!

— Дуры-ы-ы-ы! Это не моя! — никак не хотел быть благородным Генка.

Зинаида прикрыла двери на балкон, откуда несло холодом, и уселась на диван.

— Я к вам, Валентина, по поводу вашей матери, Софьи Филипповны. Расскажите, как прошел ваш последний день с ней?

Валентина остолбенела. Она-то решила, что милиция все вопросы ей задала, и больше ее помощь не пригодится. Нет, ну в самом деле, сколько ж можно?!

— Так я все рассказала уже, — выпятила Валентина цветастый живот.

— Мне вы ничего не говорили, так что потрудитесь, — твердо заявила Зинаида.

Когда она шла сюда, то подыскивала разные слова, чтобы, не дай бог, не ранить душу дочери неосторожными воспоминаниями. Но теперь все пре-

досторожности показались излишними — явно дамочка не слишком печалится.

— Итак?

— Ну... — Валентина даже не догадалась сесть и
теперь стояла посреди комнаты, как нашкодившая
школьница. — Ну... у мамы была своя квартира, но
она все равно у меня жила. И в тот раз тоже — с работы сразу ко мне пришла.

— Да вы садитесь, садитесь, — милостиво разре-
шила сыщица.

— А дальше... Ну, мама с собой еще работу на
дом взяла. Она часто домой приносила тряпки — то
прострочить не успела, то к показам торопилась.
И в тот раз тоже. Мы поели... Нет, она одна поела,
я уже кино смотрела, а потом кино кончилось, и я
спать пошла. Уснула сразу, я ж с ночной была...

На балконе тощенькая Вера пыжилась, втягивая
несчастного мужика обратно. Тот явно превосходил
в весе, и Верочка еле держалась, чтобы не нырнуть
следом.

— Давайте их затащим, все равно поговорить
спокойно не дадут, — предложила Зинаида.

— Да ну их, пусть сами выкарабкиваются, — отмахнулась Валентина и снова сосредоточенно сдви-
нула брови. — Спрашивайте.

Усаживаться хозяйка определенно не собиралась,
и это Зинаиду нервировало. К тому же акробаты на
балконе грозили в любую минуту сорваться, что тоже раздражало. Допрос шел колом, но сыщица, однако, из последних сил напрягалась, чтобы выудить
из свидетельницы всю возможную информацию.

— Значит, вы пошли спать... — поджала она губы
и сосредоточенно собрала брови в кучку. — А может, вы все-таки не сразу уснули? Может, слышали

какие-то разговоры или звонок телефонный? Я вот знаю, что многие очень хорошо просыпаются от телефонных звонков.

— Не, я не просыпаюсь. Потому что у нас телефона нет. Столько лет стоим на очереди, а нам все не ставят. Хотели коммерческий подвести, так еще линию не протянули. Но обещали скоро, — охотно поделилась Валентина. — Я ничего не слышала, меня и милиция-то еле разбудила.

Балконная дверь с шумом распахнулась, и на пороге появились посиневший от холода Гена и трясущаяся Верочка.

— Вальк, ну ты чо, совсем, а?! Главное, сама в тепле, а я, значит, на перилах болтайся...

— Мог бы и не болтаться! — звонко затараторила Валентина. — Мог бы и спрыгнуть, со второго-то этажа. Тоже мне, гусь хрустальный! Прямо рассыпался бы!

Мужчина медленно-медленно поднял подбородок, громко-громко засопел и быстро-быстро кинулся зашнуровывать ботинки.

— И все! И больше не вернусь! Будешь потом с обкусанными локтями жить, а я не вернусь! Верка! Пойдем в кафешку, предательство обмоем!

Верка радостно сверкнула глазами, потом мельком глянула на подружку и виновато прощебетала:

— И правда, Валечка! Я там мучилась-мучилась, чуть с горя сама не оборвалась, а ты тут в тепле... Предательство это, Гена верно говорит, надо его обмыть.

Валентина не удерживала друзей. Казалось, она была даже рада, что те так быстро смылись.

— На чем я остановилась? — спросила она Зинаиду, когда дверь за ними захлопнулась.

— Вы сказали, что милиция вас с трудом добудилась.

— Да! Долбили, долбили в двери, хотели даже взламывать, а тут я возьми и проснись наконец. Ну а они мне сразу: вы такая-то, такая-то? У вас погибла мать. Сгорела. А я даже не знала, представьте!

— Валя, а почему они к вам сразу заявились, милиционеры-то?

Валентина пожала плечами:

— Как, то есть, почему? Я же дочка. Родная. Вы знаете, как я ее любила? Ах, как я любила! Я ведь даже замуж ни разу не сходила. Все вокруг маменьки — «Мамочка, мамочка! А молочка? Не хочешь... А булочку? А вот я тебе яблочко купила, хочешь? Так какого хре...» Нет, я в маменьке души не чаяла. Вот они и сразу... А чего им ждать-то, вдруг я потом на работу уйду?

— Ну, с работой это понятно. А как они вас нашли? — допытывалась Зинаида.

Валентина еще больше распахнула глаза, удивляясь несообразительности гостьи, и буквально по слогам диктовала:

— Все очень про-сто! Маманя же очень за меня волновалась, ну и придумала — всегда с собой записочку носила: «В случае несчастья обратиться к дочери, проживающей по адресу...» И потом меня успокаивала: «Ты, доченька, не беспокойся, если со мной что случится, тебе первой сообщат!» Она меня однажды чуть не угробила так!

— Как это?

— Да вот так! — Валентина, видимо, вспомнила, как чуть не угробилась, и звучно швыркнула носом. Хотела было продолжать, но рыдания снова схватили за горло, и женщина понеслась на кухню хлебать воду. Вернулась она с двумя стаканами воды.

— Вот, захватила себе на потом. И вам на всякий случай. А то я сейчас такой ужас расскажу! Маменька ведь у меня с придурью была... В смысле, находчивая такая, хоть вешайся! А я ее все равно любила, все ей прощала, даже ту выходку... — Валентина снова опрокинула в себя стакан и только после этого начала говорить. — Я на швейной фабрике работаю. Так вот, помню, прошлой зимой, было уже шесть часов, темно, прибегает ко мне бригадирша вся белая: «Иди, говорит, Валька, в кабинет начальника цеха, там милиция пришла. У тебя мать убили, так они просили тебя подготовить». Ну, я захожу к начальнику, там и правда два милиционера сидят. Мычали, мычали, потом приглашают меня на опознание: «Какой-то негодяй у вас мать убил, а у нее записочка, чтобы к вам обращаться. Вот мы через соседей вас и нашли на работе. Поехали опознавать». А я еще упираюсь, не хочу. А делать нечего — надо. Приехали в морг. Мне сначала вещи показали, и я даже на тело смотреть не стала — зачем, если тут тебе и матушкина шуба, и шапка ее. «Моя, говорю, родительница». Они меня до дому довезли, успокаивают, а я, как замороженная, только об одном думаю — может, и неплохо, что матушка так скончалась, от болезней не мучилась, а быстро умерла, и я теперь свободная личность, поживу как человек. А то, ну чего ж, в самом деле?! Живу столько лет, замуж не вышла, потому что матери мои ухажеры не по душе были, а тут наконец — живи с кем хочешь, полная свобода. И, главное, я еще состариться не успела, вполне можно семью устроить. Ну, радуюсь так потихоньку, сама уж думаю, какую перестановку в квартире сделаю... И что вы думаете? Поднимаюсь к себе, открываю двери, а навстречу мне выходит мамочка собственной персоной! Я чуть сама в том морге не оказалась! Говорю же — она такая, прям как чего выдумает...

— А как же? Это она пошутила, что ли? — распахнула рот Зинаида.

— Ни хрена себе шуточки! Если бы она еще и до этого додумалась... — ужаснулась Валентина. — Нет, было так. Маменьку мою в подъезде какие-то бичи ограбили средь бела, шубу и шапку сняли. И, видимо, сама-то грабительница шубу и напялила. Нарядилась, потом напилась как следует, ее собутыльники-то и прикончили. А милиция, когда труп обнаружила, сразу по карманам шарить давай, а там матушкиной рукой написано: «В случае несчастья, обращаться...»

— Какой ужас! — посочувствовала Зинаида.

Валентина потерла глаза кулаком и добавила:

— Это еще не ужас. Ужас был, когда меня заставляли тот труп из морга забрать! Я же его как маменькин официально опознала. Чуть на дом не привезли, еле откристилась!

Зинаида посмотрела на несчастную сироту и стала собираться, больше ничего ей Валентина сообщить уже не могла. Валентина с облегчением поднялась — незваная гостья вымотала у нее все силы, еще и Генку пришлось из квартиры вытурить... Хозяюшка уже распахнула дверь и даже обмолвилась:

— Если будете в наших краях, заходите. Правда, я сегодня в командировку улетаю, в срочную, так что чего вам зря по гостям таскаться...

Но тут Зинаида затормозила и резво повернула обратно:

— Вот вы сказали — Софья Филипповна сгорела. А как же бумажка при ней целая осталась? — прищурилась она.

Валентина снова скисла:

— Ну, не вся же она сгорела. Ее задушили. И хотели вместе с домом сжечь, а соседи «пожарку» вызвали, вот она и не успела, ноги только обгорели, а все остальное целое оказалось. Там даже на руке надпись какая-то была... Сейчас вспомню... «Я не такая», вот. В этот-то раз я уже по-настоящему ее опознавала.

— Хорошо, а где ваша мама жила?

— Кирпичная, одиннадцать, квартира четыре. Ну, все, что ли?

Зинаида рассеянно помотала головой.

— Спасибо, Валентина. — Но уже совсем нá пороге она очнулась и щелкнула пальцами: — Черт, и все же — почему она от вас ушла в тот вечер, а?

Этого Валентина уже вынести не смогла. Она неумело «испугалась» и, ляпнув классическое:

— Ой, у меня молоко убежало! — захлопнула дверь.

Зинаида в растерянности спустилась вниз и вышла из подъезда. Что-то не нравилась ей эта Валентина. Врет ведь! А где? Зачем? Хотя... Нет, надо срочно нестись домой и там подумать.

Сыщица не торопясь направилась домой, хотелось пройтись по свежему воздуху. Однако на улице стал накрапывать дождь. И вроде бы не сильно лил — капли падали лениво, вяло, но слякоти добавил. Зинаида в своем новом персиковом пальто чувствовала себя неуютно. Да еще ох уж эти водители машин — они так и старались облить ярко одетую даму грязью. Один даже изловчился и специально по ближайшей к ней луже проехался, паразит. Хорошо еще, что Зинаида умела так ловко прыгать. Правда, от прыжка пострадали сапоги — на них теперь ясно выделялись мутные капли. А обувь и пальто следовало поберечь, за них еще даже не уплачено, поэтому Зина забежала в небольшой магазин, чтобы переждать дождь. Здесь торговали мебелью, и народу было немного — парочка пенсионеров, бродящих по выставочным рядам, будто по залам Эрмитажа, муж с женой, которые ссорились возле кресла-качалки, да молодящаяся модная особа на тоненьких каблучках. Зинаида важно прошлась между рядами диванов, потом стала приглядываться к кроватям, шкафам, горкам. Ее собственная мебель уже давненько красоты не создавала, приходилось только восхищенно ахать, разглядывая Юлькины журналы, где во всех красках были расписаны чьи-то роскошные хоромы. Однако она даже и не мечтала о том, чтобы сменить интерьер. Но теперь, когда ей светил оклад можодера... меженера... Черт, как же называется-то ее будущая должность? В общем, теперь не грех и приглядеться к новинкам мебельных фабрик.

— А скажите, почему у вас нет плетеных экспонатов? — капризно пищала молодящаяся женщина, обращаясь к продавцу. — Мне бы хотелось, допустим, плетеный сервант! И что я должна теперь делать?

«Люди в подобном случае только вешаются», — язвительно подумала Зинаида, но продавец весьма добродушно пояснила:

— А вы знаете, сейчас в городе проходит замечательная ярмарка плетеных изделий. Вам нужно от нас выйти, сесть на «семерку» и доехать до конечной. Там сразу увидите — большой такой гипермаркет — это Кирпичная, девять. Вот там ярмарка и проходит.

Девушка улыбнулась и поспешила к семейной паре. Там творилось что-то непонятное — муж уселся в кресло и раскачивался изо всех возможностей новенькой качалки. Ноги мужчины высоко взлетали вверх — как выяснилось, он проверял качества изделия.

— Ну совсем ума нет, — покачала головой Зинаида, наблюдая за покупателем.

— Действительно! — фыркнула молодящаяся особа. — Главное, говорит, сесть на «семерку»... Можно подумать, я знаю, что это такое! Можно подумать, у меня машины нет! И как туда ехать? Черт!

Зинаида моментально смекнула, что ей сейчас невозможно повезло, такое совпадение просто даровано ей небесами. Дамочка собирается на Кирпичную, девять, а Зинаиде требуется на той же улице дом одиннадцатый!

— А вы знаете, я пожалуй, смогу вам объяснить, — напыщенно предложила она.

— Ой, вы волшебница! — всплеснула руками незнакомка. — Вам тоже на ярмарку, да? Давайте тогда так: вы впереди езжайте, а я за вами сзади.

Зинаида крякнула. Ничего себе — повезло. Значит, она на троллейбусе потрясется впереди, а эта леди за ней на машине?

— У вас автомобиль какой марки? — не умолкала та. — За кем мне держаться?

Зинаида Корытская удовлетворенно расплылась в улыбке. Все не так страшно, просто дамочка посчитала, что такая достойная женщина, как Зина, тоже на «колесах». И она кокетливо поправила прическу.

— Знаете, мое авто сейчас в сервисе, что-то там... под сиденьем барахлит... и зеркало отвалилось. Так что я сегодня... гоп-стопом передвигаюсь.

— Ну, так это даже лучше! Пойдемте.

Вскоре они уже неслись по мокрым улицам города в темно-вишневой иномарке, названия которой Зинаида так и не узнала. Женщина уверенно держалась за руль, а Зинаида вовсю командовала, когда и куда свернуть. Уж что-что, а как ходит троллейбус «семерка», она знала с детства.

— Вот! — Наконец ткнула она пальцем в огромный стеклянный корпус за окошком. — Вот вам сюда.

— А вы разве не на ярмарку? — вздернула бровки дамочка.

— Вы знаете, у меня дома уже есть плетеный сервант, я плетеный телевизор заказала, жду, — мило улыбнулась Зинаида и выпорхнула из салона.

В подъезде, на первом этаже она чуть не столкнулась с худеньким старичком, который высоко задрал голову и что есть мочи долбил сучковатой палкой о бетонный пол.

— Ой, простите, пожалуйста, — извинилась Зинаида. — Здесь темно, я чуть вас не сшибла...

— А мне, красавица, все одно — что темно, что светло. Глаза мои свету не различают, — горько пожаловался старичок и принялся нащупывать Зинаиду растопыренной пятерней.

Пятерня уверенно пошарилась в области лифа, потом опустилась ниже и, когда уже Зинаида собралась-таки возмущенно надавать якобы слепому охальнику по дланям, перекинулась на стену. Старик и в самом деле был слеп, как крот, а его рукоблудство пригрезилось Зинаиде от излишней самонадеянности. А что, когда хорошо выглядишь, можно чуточку и возомнить о себе...

— Вам выйти надо? Может, двери открыть? — устыдилась Корытская.

— Да я б и сам вышел-то, чай, не впервой, да вот только пятьдесят рублей обронил, а клюкой-то их не больно нащупаешь. Погляди, девонька, может тут где валяются?

Зинаида послушно стала пялиться на пол. Ничего. Чисто подметенный пол, и все. Она даже немножко выше поднялась и спустилась на две ступеньки ниже — ничего.

— Вот ты горе какое, а? — покачал головой бедный старик, и его незрячие глаза налились слезой. — Пенсия-то когда еще будет, а я и так на одном хлебе... Вот тебе и сэкономил, называется. Хоть бы уж меня машина какая сбила, чем с голоду-то помирать... Пойду на дорогу, авось, кто сжалится, собьет...

— Да чего ж это вы такое придумали! — возмутилась Зинаида. — На дорогу нынче только выйди, там таких «жалостливых», знаете, сколько отыщется! Они и зрячего так и норовят придавить, а безглазого-то... Вот... подождите-ка... сейчас... Ну, где же кошелек-то у меня... Вот! Возьмите сто рублей, у меня нет полтинника. Берите и топайте аккуратненько в магазин, понятно? И чтобы никаких дорог, договорились?

Старичок стал кланяться, еще громче задолбил палкой о бетон и снова прослезился:

— Дай бог тебе, девонька, любовника-адвоката!

— Лучше б он мне мужа дал, — буркнула Зинаида и добавила себе под нос: — Адвоката, конечно, хорошо бы, но на худой конец можно и хирурга.

За старичком громко хлопнула подъездная дверь, а Зинаида направилась в четвертую квартиру. Неизвестно, кого она хотела там встретить, может быть, поговорить с соседями, но побывать здесь было необходимо.

Квартира номер четыре находилась на втором этаже. Обыкновенная дверь, обитая светло-коричневым дерматином, не новым, но еще очень крепким, светлая ручка, звонок... Все, как у всех, и никаких следов пожара. Даже и не подумаешь, что здесь не так давно сгорела Софья Филипповна.

Зинаида аккуратно нажала на кнопку звонка. За дверью послышалась трель, но никто не отозвался. Она попробовала еще раз — никого. Корытская взглянула на часы — половина седьмого. Может, подождать? Сейчас как раз люди с работы возвращаются. Она уселась на широкий подоконник, достала зеркальце и стала поправлять макияж — Юлька ей говорила, чтобы она чаще смотрелась в зеркало. Зинаида платочком обмахнула щеки, провела по губам помадой и решила, что уже достаточно неотразима. Она посидела еще минут десять, потом снова позвонила, но уже и сама понимала, что в четвертой квартире никого нет. В пятой тоже не отозвались, хотя она явно слышала, как шаркали за дверью чьи-то шаги. Кричать в замочную скважину не хотелось, и Зинаида решила наведаться сюда в другой раз.

Она вышла на улицу и обомлела: на скамейке возле подъезда сидел знакомый уже слепой старичок и точно, как в аптеке, разливал по пластиковым стаканчикам водку двум сотоварищам.

— Слышь, Иваныч! — ворчал на него мужчина, который был помоложе. — Ты что мне капнул-то?

Главно дело — Митричу полный стакан, да? А мне, как украл! Ты чо, краев не видишь?

— Все я вижу! Тебя, клопа, не спросил! Мы-то, почитай, кажный день тебя поим, то Митрич, то я, а ты уж год считай как балласт на нашей шее. Еще, смотри-ка, недоволен!

— Ты, Иваныч, гляди — мимо ить льешь! — дернул его тот, кто назывался Митричем.

Зинаида ошалело наблюдала за пиршеством, а больше всего, конечно, пялилась на нового «Паниковского». Сомнений в том, что пожилой мужчина явно врал ей в подъезде, не оставалось. Тот ее не замечал — опрокинул стаканчик и стал ворошить нехитрую закуску, выбирая кусок побольше.

— Эй, хорошая, а ты чего застыла с открытым ртом? — вдруг окликнул ее тот, которого обделили. — Оголодала? Так ты к нам присядь, угощайся! Иваныч, налей бабе.

— Совсем охренел! — взвился «слепой» старичок. — Сам на птичьих правах, еще и бабу при... Ой! Девица-красавица, ты ли это? Ну, садись, садись к нам!

Зинаида скривилась:

— Дедушка, и как же вы меня без глаз усмотрели? Как собака, чуете, что ли? И не стыдно вам на людской жалости зарабатывать? Добро бы правда на хлеб, а то ведь на отраву!

— Не ругайся, какая ж водка отрава? Грех это, добрый продукт хаять, — погрозил пальцем старичок. — Садись лучше, выпей вот.

— Не буду я пить с таким вруном! — дернулась Зинаида. — Я его пожалела, а он... А сам говорил — под машину!

Старичок отложил надкусанный огурец и огорченно развел руками:

— Не, мужики! Ну, вы поймите этих баб! Ить сама меня прям за ноги держала, чтоб я, значит, под какой самосвал не угодил. Сама! И сотку мне для этих целев сунула, чоб, значит, я душой поправился. Я ее благородной посчитал, пью тут сижу исключительно за ради ее здоровья, а она меня стоит и позорит принародно!

— Чего, Иваныч, опять с костылем под слепого косил? — хохотнул молодой мужик. — Попомни мое слово — накаркаешь!

Старичок огорчился. Он намеревался провести время с приятностью — в кругу друзей да за хорошей беседой, а беседа какая-то не теплая получается.

— Нет, ну ить все настроение споганил, — горько поставил он стаканчик. — Слышь, дѣваха, чего те надо-то? Дала деньги, а теперь забудь, потом зачтется. Что ж ты над душой-то торчишь?

Старичок все же хряпнул водочки и вдруг заговорил совсем сердито:

— А ты к кому шла, докладай быстро! Славка, держи ее за хвост, она, небось, наводчица! К кому шла, говорю?!

— Вот наглец, — горько усмехнулась Зинаида. — Как деньги брать, так и у наводчицы за милую душу, а как поговорить... И как ведь быстро за водкой-то смотался! Я в четвертую квартиру шла, к Софье Филипповне. Старушка такая тут жила, не знаете? Маленькая, низенькая такая...

Мужички переглянулись, потом «слепец» Иваныч замотал головой и сообщил:

— Мы, чтоб ты знала, красавица, маленькими старушками не интересуемся! — крякнул он, а потом хлопнул себя по коленям и, лихо притоптывая, гаркнул: — Гоп, стоп, Канада! Старых баб не надо! Молодых давайте! Хлопцы наливайте! Гоп, стоп... Вот в десятую квартиру молодка приехала, так я понимаю — полная пазуха добра, и позади тоже полно добра-то. Не какая-нибудь селедка дохлая. Митрич, слышь, а как ее, из десятой-то зовут?

— Да не помню я... — отмахнулся молчаливый Митрич.

— Ему бабка дома всю память отшибла, — хихикнул Славка. Посмотрел на Зинаиду и добавил: — А в четвертой вовсе и не старушка живет. Там у нас какой-то иностранец. Ну, в смысле, кавказец. Давно уже. Я сюда два года назад въехал, они уже жили. Сейран его зовут, что ли. Иваныч, его Сейран зовут?

— Вот как звать... то ли Сейран, то ли Джейран, то ли вовсе Сейлормун какой... Не скажу, — сосредоточенно пытался ухватить кильку за хвост Иваныч. — Не скажу, но... живет кто-то. Не старушка, точно. Братья наши по разуму, чернявые. А старушки нет.

Зинаида не могла поверить, хотя... Чего ж не верить-то? Дверь совсем не повреждена никаким пожаром. Но неужели Валентина так откровенно врала?

— Подождите... Значит, никакая старушка здесь не проживала? И пожара не было? Значит, это не у вас тут женщина сгорела?

Иваныч только что опрокинул в себя очередной стаканчик, и после ее вопроса водка из старичка брызнула фонтаном. Митрич тоже поперхнулся и закашлялся.

— Слышь, ты, красавица! — зарычал Иваныч, утираясь рукавом. — Ты б шла отседа! Да быстрее! Ишь чего, женщин наших палить надумала... Славка, беги звони в милицию, все одно тебе уже не хватит тут в бутылке. Сообщи в органы, что мы тут лазутчицу захватили...

Он даже попробовал подняться. И кто знает, может, и правда бы захватил, но и Зинаида была не робкого десятка.

— Вы тут, дедушка, сильно-то не умничайте, а то я вмиг расскажу той милиции, для чего у вас тросточка! Джентельментель...

И пока старик раздувал ноздри, она посеменила к остановке.

Уже в троллейбусе Зинаида сунула руку в карман и вытащила сложенный листок — так и есть, нарисованный Татьяной план не имел совершенно ничего общего с расположением улицы Кирпичной. Значит, получается — Валентина соврала.

До дому Зинаида добралась усталая, голодная и злая.

— Зинаида Ивановна! Ну и как ваша работа? Привыкаете? — курлыкала девчонка-квартирантка, вовсю изображая гостеприимную хозяйку. — Снимайте сапожки, вот сюда ставьте... Ой, чего ж вы так обувь не бережете, только ведь купили! Да, Зинаида Иванна, я чуть не забыла! Тут мужчина приходил, вас искал. Наверное, из милиции. Я сказала, где вас найти, он не приходил?

— Из милиции? — Зинаида пыталась сообразить, что от нее понадобилось доблестным органам. В последнее время она зубы никому не выбивала[1], с коллегами не ссорилась, с постояльцами тоже... —

---

[1] О том, как Зинаида Корытская выбивает зубы, читайте в книге М. Южиной «Снимать штаны и бегать», издательство «Эксмо».

Юля, а отчего ты решила, что тот мужчина из милиции?

Юлька вытаращила глаза, пару раз хлопнула длинными ресницами и справедливо изумилась:

— Как откуда? У него пальто такое... все длинное и черное, как у настоящего сыщика!

Заслышав про пальто, Зинаида рванула к телефону. Рука ее сама собой стала набирать заветный номер. В трубке сначала гудели длинные гудки, а потом голос... такой близкий и волнующий... такой... короче, голос Плюха спросил:

— Алло! Нюра, вы?

Зинаида брякнула трубку на рычаг. И что волнующего она находила в этом прокуренном хрипе? Нюра! Конечно, у Нюрочки столько денег, что она запросто может влюбить в них кого угодно, даже хирурга Плюха! Ну и пусть! Когда Зинаида станет... боже! Опять забыла, кем же она станет...

— Зинаида Ивановна, — подошла Юля, вытянула шейку и собрала губки пупочкой. — Вам надо сдерживать эмоции. Не дело, если вы каждый раз трубками швыряться станете. Потому что...

Почему это не дело, так и осталось секретом, потому что в тот миг позвонила Татьяна Боева и сразу же затарахтела:

— Зин! Я завтра на работу только к обеду подойду, к Вадьке какой-то серьезный доктор приехать должен. Слушай меня внимательно. Нашим девчонкам только растворимый кофе подавай, не балуй их. Натуральный, из зерен, вари только Ивской, поняла? У нас там на второй полке банка стоит, с черной этикеткой. Видела? Так вот, из этих зерен только Ивской. И еще — в долг никому не давай. Особенно Аркадию Валерьевичу, он любит в долг откушать.

— Уой, — замурлыкала Зинаида. — Прям-таки «в долг». Скажи лучше — боишься, что клиента уведу. А то я не видела, как он тебе сто долларов в карманчик сунул, а ты его за это дармовой овсянкой накормила. Я видела, как он тебе чаевые...

В трубке послышалось фырканье:

— Зина, запомни, если Аркадий сунет чаевые, это все! Армагеддон! Он и слово-то такое забыл — «чаевые»! Он вообще всегда расплачивается, как будто кровь сдает. Я поэтому у него деньги всегда вперед беру. И ты знаешь, ему это нравится, не ты одна думаешь, что он меня чаевыми балует. Да, еще! Бухгалтерше Ие Львовне с утра молоко вскипяти. Она без молока день не начинает, а от некипяченого у нее... короче, диарея у нее. Так что если вдруг чего, она тебе тогда два месяца зарплату задерживать будет, проверено...

Надавав еще кучу ценных указаний, Татьяна отсоединилась. И вовремя, потому что Юля уже кричала на все этажи:

— Игорек! Зинаида Иванна! К столу! Я сегодня такое чудо приготовила — язык проглотите! Борщ! Давайте скорее, а то все остынет, и весь вкус растеряется.

Зинаида дернула носом, однако она сегодня так проголодалась, что была рада даже чудо-борщу. Игорек уже сидел за столом и осторожно подтягивал ложку ко рту.

— О-й-й-й! — все-таки обжегся он. — Прям кипяток! И когда остынет?

Зинаида Ивановна ела молча, обдумывая, как она завтра себя покажет на новом месте. Татьяна говорит — девчонки придут, а она еще не со всеми познакомилась. И кому, спрашивается, растворимый подавать?

— Нет, ну если честно, я возмущена! — вдруг сообщила Юля. — Сколько едите, а хоть бы кто похвалил!

— Юленька! — немедленно исправилась Зинаида. — Сегодня у тебя особенно удачное варево! Просто необыкновенное! И что ты туда набросала?

Юлька вежливо мотнула головой и уставилась на мужа:

— А ты? Почему еще не похвалил? — строго вопросила она.

— Я... еще не похвалил? Я хвалил! — уперся Игорек. — Просто ты на меня внимания не обращаешь. Я хвалил!

— Нет! Я помню! Не хвалил, не хвалил!

У молодых назревала ссора.

— Ну как же! А «ой» я сразу сказал? Это что?

— Это ты обжегся! — уже начала подрагивать подбородком молодая стряпуха. — А вот...

— Юленька, — нашелся Игорь, — ты хотела Зинаиде Ивановне что-то про ключ сказать!

Юлька тут же забыла про поварские лавры и всплеснула руками:

— Зинаида Иванна, чуть не забыла! Завтра к вам слесарь придет, будет какие-то батареи смотреть, так он просил вас ключ от комнаты оставить. Вы уж оставьте мне ключик на денек.

Зинаида пожала плечами — чего ж не оставить? Ей и вовсе можно без замков и без ключа жить, воровать все равно нечего. Она уже направилась к себе, чтобы принести запасной, но в квартиру позвонили, и Зинаида поторопилась открыть.

На пороге стояла близкая подруга — Нюрка, в элегантном длинном замшевом плаще нежно бежевого цвета, в таких же замшевых сапогах и с крохотной сумочкой, тоже, естественно, замшевой.

— Зиночка, как славно, что ты дома! — воскликнула она и протопала в комнату подруги, даже не скинув сапог. — У меня к тебе такой разговор, такой... Чаю принеси, а... Хотя нет, лучше кофе!

Зинаида принесла две чашки. В той, что приготовила для себя, дымился натуральный, молотый, а Нюрке притащила напиток из пакетиков — нечего баловать! Однако та отхлебнула мутную жижу и блаженно закатила глаза:

— Божественно! Просто божественно. Ты же знаешь, Зин, как я млею от кофея! Кстати, я чего к тебе пришла-то...

— Наверняка рассказать про очередного младого идиота, который из-за тебя сиганул в пасть к акуле. Между прочим, как у вас сложились отношения с тем бравым старичком, которого ты отвоевала у меня в «Лягушке»? Он уже погиб от любви?

Нюрочка презрительно фыркнула, достала сигарету и обиженно пыхнула дымом в стену:

— Ах, не напоминай мне про это убожество... Убожество, убожество, убожество! — Нюрочка даже несколько раз в истерике топнула сапожками.

При этом от ее каблука отвалился какой-то засохший лист и шматок грязи.

— Этот гад, представь, оказывается, находился в бегах и искал дуру, у которой можно было бы переночевать! И хорошо еще, что его прямо из «Лягушки» наряд увез, а так я просто не представляю, что бы со мной было! — Нюрка ухватилась за щеки, опять закинула глаза под брови и некоторое время

пребывала в «ужасе». Однако Зинаида сегодня отчего-то не охала вместе с ней, и она решила присту-
пить к главному. — Я теперь решила не отвечать вза-
имностью невесть кому. Знаешь, все-таки пора по-
настоящему устроить свою судьбу. По-настоящему! — откинула она искусно уложенную прядку со
лба. — У меня появился серьезный мужчина, достойной профессии, и мы с ним составляем весьма
гармоничную пару.

— Я за тебя рада, — напряженно попыталась
улыбнуться Зинаида. — А кто этот счастливчик?
Я его не знаю?

Нюрочка строго на нее посмотрела и, как директор школы, выразила неудовольствие:

— Знаешь. И постоянно вмешиваешься! Зиночка, я пришла, чтобы предложить тебе: отстань, ради
бога, от Плюха, а я тебе какого-нибудь старичка
подберу. С хорошей квартирой, с состоянием. У меня даже есть один такой на примете — работает на
кладбище. Знаешь, сколько зарабатывает! А еще ка-
лымит — веночки плетет и продает. Очень хозяйст-
венный мужчина. И потом, случись чего, у тебя никаких проблем не будет — квартирка у него по месту
работы, деньжат накопил, а похоронит профсоюз.

Зинаида в гневе прищурила глаза и какое-то
время только пыхтела, так ее оскорбила подруга. Но
та ничего не замечала и продолжала убеждать:

— И потом, ну как не стыдно навязывать мужчи-
нам свою сердечность? Вот Игнатий, например, человек мягкий, а ты этим пользуешься. Что ж ты в самом деле, липнешь и липнешь, как банный лист к...

— Это я липну?! — захлебнулась Зинаида. — Я к
нему?! Да я... Да он мне... Знаешь, мне на него вообще плевать хотелось! Да я... Он мне вообще не ну-

жен! Я, если захочу, себе таких Плюхов два сундука найду! И вообще — он не в моем вкусе!

— Плевать, да? Он тебе не нужен? Два сундука, значит? — неизвестно чему обрадовалась Нюрка. — Ой, Зин, я так и думала! Вот не нужен он тебе, и все! Я сейчас позвоню Игнатию и передам, ну про вкус-то... Где у вас телефон?

Обрадованная таким сообщением Нюрка уже вырвалась в коридор, где блестел новенький аппарат. Однако Зинаида резво ухватила подругу за плащ и вдернула в комнату:

— Сто-о-ой! Сиди, я сама, сама ему позвоню и скажу.

— Ну, конечно! С чего это тебе ему звонить? Да отпусти ты плащ-то, порвешь! — отбрыкивалась гостья. — Дай телефон... Да отцепись... порр-вешшшшь плащ...

Нюрка все же прорвалась к телефону, схватила трубку и, бешено набрав номер, затарахтела:

— Аллё... Аллё, Плюшечка? Я сс-сейчас...

— Иди со своей Плюшечкой... — выхватила телефон у подруги Зинаида. — Мы, главное, за телефон платим, а она...

В прихожей завязалась потасовка, слышалось сдержанное пыхтение, возня. В полном молчании почтенная Зинаида долбила верную подругу телефонной трубкой по темечку, а та старалась выдрать у товарки клок волос. На странный шум вышла Юлька.

— Ой, Игорек! Иди скорее, тут наша Зинаида Иванна борется! — радостно захлопала она в ладоши.

Чего говорить, Юлька всегда немножко недолюбливала Нюрку. А и чего ее любить — придет, натопчет, нос задерет, весь чай выхлебает и даже спасибо не скажет. А уж какая задавака! И все время врет, что Игорь тайно в нее влюблен.

— Девушки! Девушки! — встрял Игорек. — Негоже друг дружку за патлы-то!

— Игорь! — торжественно провозгласила Зинаида, откидывая назад распотрошенную прическу. — Выставь эту даму вон! Она собирается украсть у меня самое дорогое... Мурзика!!

Юлька даже дышать перестала от такого коварства:

— Игорек! Она Мурзика хочет! Немедленно выставь эту особу!

— Да нужен мне ваш Мурзик... — начала было изрядно помятая Нюра, но Юлька ей даже слова не дала сказать.

— Игорь! Немедленно! Ей, видишь ли, наш Мурзик не нужен... Нет, Игорек, я сама ее выставлю, а то ты как-то неубедительно... И зачем ты выталкиваешь ее за талию?! Иди лучше успокой Зинаиду Иванну!

Как уж там Юлька выставляла Нюру, Зинаида не видела, она только слышала протестующие повизгивания подруги и сопение квартирантки. В это время ее бережно вел под локоток Игорек, усаживал на кухне и капал что-то в стакан.

— Вот, выпейте... Не понимаю, как можно покуситься на эту прелесть?

«Прелесть», то есть собственно Мурзик, в данный момент воровал со стола остатки колбасы. Обычно он ловко цапал с тарелки нарезанные кружочки когтями, скидывал на пол, а там уже совершенно безбоязненно вкушал деликатес, сейчас колбаса никак не хотела зацепляться за коготь, и Мурзик весь измучился.

— На тебе, киска, колбаску. Сколько тебе? Одну? Да забирай всю, — расщедрился Игорек, подозревая, что все остальные куски тоже уже были залапаны ворюгой. — А вы, Зинаида Иванна, лекарство пейте. Выпили?

— Ага, гадость такая... Что это было?

— Да ничего особенного, просто валерьянка. Она же безобидная совсем!

От совсем безобидной валерьянки Зинаида уснула через пятнадцать минут, едва добравшись до постели. Даже будильник не завела, но он и не понадобился. Проснулась она в половине пятого. За окном еще было темно, а спать уже совершенно не хотелось. Снова вспомнилась позорная потасовка с Нюркой, и обида комком подкатилась к горлу.

— Понятно, у Нюрочки вон какой плащ... А я... когда еще я этим... по кадрам стану... — всхлипнула Зинаида, и неожиданно к ней пришла мысль, простая, как семь копеек: — Когда стану? Да в тот же день, когда найду убийцу Софьи Филипповны! Приду, доложу обо всем Ивской, а она врать не любит, Татьяна говорила... Господи! С этой Нюркой забыла Татьяне самое главное сказать!

Зинаида понеслась в прихожую, перетащила к себе телефон и набрала номер.

— Алло, Татьяна? Тань, спишь ты там, что ли? Почему так долго трубку не брала?

На другом конце провода раздалось недовольное сопение, и сонный голос промямлил:

— Кто это?

— Тань, я это, я. Слышь, чего сказать хочу... Таня, ну ты слушаешь или спишь?!

— Ты, что ли, Зинаида?! Ну какого черта, а? — чуть не заплакала подруга. — И чего тебе не спится?

Времени пять утра! Ты специально меня изводить взялась, да?! Я ведь тоже могу... Вызову сейчас пожарную машину и пусть тебе фейерверк там устроят!

— В пожарную нельзя, тебя засекут и платить придется за ложный вызов. А я вовсе и не извожу, я по делу! Слушай, я сегодня к Валентине ходила, представляешь?

— К какой Валентине? — все еще не могла проснуться подруга.

— К той самой! К дочери Софьи Филипповны!

— Ой, мама дорогая, — вздохнула Боева. — А чего ты к ней ночью-то поволоклась? Прям ненормальная, чес-слово...

Зинаида поудобнее устроилась возле телефона, собираясь сочно, с подробностями, описать Татьяне встречу:

— Да нет же, я нормальная. Я к ней днем ходила. Это она ненормальная — рассказывает про Софью, а сама все время врет! То говорит, что матушку свою любила, а то проболталась, что ей свободы хотелось, и, вроде бы, ее кончину она где-то даже одобряет. Представляешь? И вообще! Я к ней прихожу, а она мне сначала не открывает. У меня тут же зародились сомнения... Я же тебе рассказывала, что я опытный детектив. Рассказывала или нет?

Боева молчала — то ли внимательно слушала, то ли в очередной раз задремала.

— Ты слышишь, Тань? Рассказывала? Чего молчишь-то? Одним словом, Валентина что-то скрывает! — упоенно продолжала Зинаида. — Под конец беседы я у нее адрес Софьи попросила... Алло! Тань, ты спишь, что ли?

— Не сплю я, слушаю... — отозвалась подруга. —

А зачем ты у нее адрес просила? Я же тебе его дала. Потеряла?

— Нет, просто забыла, что у меня твой план в кармане, и попросила. И, представляешь, она мне сказала! Адрес сказала!

Татьяна фыркнула:

— И чего? Все нормально, она сказала...

— Да нет же! В том-то и дело! Она сказала адрес, я туда прибыла, а там совершенно чужие люди живут. А Софью Филипповну и не знает никто! Не жила там такая, понимаешь? И пожара никакого там не было.

— А... а зачем тебя туда Валентина отправила? — понемногу начала соображать Татьяна.

Зинаида задумалась. Как бы так объяснить... Валентину вроде подставлять не хочется, вдруг это у нее синдром какой-нибудь, на нервной почве...

— Ты знаешь, Тань, мы с тобой завтра об этом поговорим, чтобы не по телефону, хорошо?

— Да уж куда лучше! Только тогда на кой черт ты меня ни свет ни заря подняла? — ругнулась Татьяна и отключилась.

Зинаида накрутила бигуди, наложила питательную маску на лицо и прилегла.

Очнулась она, когда солнце уже вовсю щекотало ресницы и спать дальше не было никакой возможности.

— Батюшки! — подпрыгнула она с кровати. — Это сколько ж времени? Ой-ой-ой! Мне же через полчаса бар открывать!

В баре она была через двадцать семь минут. И не важно, что кудри так и лежали на голове, свернутые в трубочки, что лицо оплыло от питательной маски, а ажурная кофточка оказалась надетой наизнанку, зато на работу она не опоздала.

Не успела она привести себя в порядок, как стали прибегать сотрудницы театра. Сначала прибежали две серенькие, тихие, как мышки, женщины, попросили парочку бутербродов и, схватив картонные тарелочки, унеслись вместе с бутербродами.

— Интересно, как я с ними познакомлюсь, если они ни на минуту не задерживаются? — пробурчала Зинаида, укладывая вздыбившиеся кудри. — А познакомиться нужно, ведь смерть Софьи Филипповны как-то связана с театром, недаром же у нее на руке была надпись: «Я не такая!» И у Вадьки тоже. Только Вадька ничего не видел и не помнит. Хм, а так ли уж ничего?

— Вы чего себе под нос бубните? — окликнула Зинаиду очень толстая, невысокая и немножко косолапая женщина. — Здрассть! Меня Лидой зовут, Лидия Николаевна Данилова. А вас как?

Зинаида выронила расческу от неожиданности, потом отчего-то смутилась, засуетилась и вдруг ляпнула:

— А вы сюда зачем?

Данилова прыснула в пухлый кулачок:

— За пирожным! Страсть как обожаю пирожные! Мне вон тот эклер, пожалуйста, потом еще буше, картошку можно и... и круассаны. Да, и еще кофе со сгущенкой. Только сахар в кофе не кидайте, от него полнеют. Вы мне сахарозаменитель положите, Татьяна его специально для меня покупала.

Зинаида грустно поводила глазами по полкам, но никакого заменителя не обнаружила. Эх, черт, Татьяна про него ничего не сказала...

— Вы вон там посмотрите, — посоветовала Данилова и перегнулась через барную стойку. При этом ее коротенькие ножки задрыгались в воздухе, будто она продолжала куда-то стремительно бежать.

— Не, ну ва-аще улет! Я так и знала! — появилась в дверях длинная и худая, как веревка, молодая женщина. — Данилова! Тебя что, в бочку с медом затянуло? Убийство какое-то!

Зинаида вздрогнула и внимательнее присмотрелась к вошедшей. Лицо молоденькой женщины можно было бы считать красивым, если бы не брезгливое выражение на нем. К тому же при ходьбе девушка так вихлялась, точно создатель недоложил ей в туловище опорно-двигательный аппарат.

— Да-а-анилова, хорош прятаться! Я те не па-а-детски говорю... — растягивая гласные, презрительно перекривилась незнакомка. — Выныривай обратно из-под стойки, ты засветилась!

Данилова попыталась вернуться в исходную позицию, еще активнее заработала ногами, но мощная грудь перевешивала, и Зинаида всерьез забеспокоилась, как бы дама не ухнула об пол головой.

— Не, ну, главное, еще и ногами мне в морду лица! Реально — просто идиотка! — Изо всех сил дернула девушка за ногу Данилову, и та, то ли от страха, то ли от общих усилий, перекувыркнулась-таки назад и встала на ноги.

— О-о-о-ой! — невозможно обрадовалась она. — Вероника Егоровна! А я думаю, ктой-то меня за ноги, прям так и щекочет, так и щекочет... Уж хотела по мордасам охальника, а тут вы!

Вероника Егоровна схватила со столика салфетку и принялась брезгливо вытирать пальцы. Зинаиде с каждой минутой эта девица нравилась все меньше. С виду достаточно милая женщина, а стоило ей только рот открыть, так и не поймешь, с кем говоришь — либо с недоразвитым подростком, либо с заторможенным алкоголиком. Во всяком случае, речь молодой красавицы уши не ласкала. А та вовсю продолжала негодовать:

— Чо приду-умала — по мордасам она мне! Стопудово, специально ногами дрыгала, чтобы хоть кто-то клюнул... Я, главное, ее все утро ищу, а она под сто-ойкой! Ты мне прострочила кардиган? У нас в эту субботу пока-аз, чтоб ты зна-ала. И где мой кардиган?

Данилова с достоинством дернула головой:

— Он прострочен был еще в четверг. И я об этом говорила. Только вам, Вероника, все никак не хватает времени его примерить. А потом в самый последний момент выяснится, что вы еще похудели и он вам велик. И мне придется всю ночь не спать. Из-за вас, между прочим!

Высоченная девушка не обратила внимания на упреки заполошной Даниловой. Она вытянула из карманчика сигарету с зажигалкой, затянулась и пыхнула несчастной женщине прямо в лицо:

— Готов? А что тогда пыхтишь? Свободна.

И повихляла из бара. На такую мелочь, как Зинаида, девица и вовсе не оглянулась за все время пребывания. Зинаида проводила ее взглядом и сочувственно спросила у толстушки:

— Она что, церебральным параличом болеет?

Данилова на нее посмотрела так, будто Зинаида призналась, что сперла все ее пирожные.

— Как вы можете! Вероника специально отрабатывает походку манекенщицы. И наша бухгалтер говорит, что у нее получается лучше всех. А между прочим, у Вероники одна нога короче другой! А у меня так не получается!

Зинаида с удивлением уставилась на Данилову. Неужели та всерьез завидует этому вилянию похожей на веревку девицы? Ведь сразу же заметно, что у Вероники отклонения. Причем, во всех областях организма.

— Хм, — фыркнула она. — Сломайте себе ногу и еще не так ковылять будете. И потом, почему вы ей позволяете так с собой обращаться? Если б она со мной так...

Зинаида вспомнила, из-за чего ее уволили в последний раз, и скромно подобрала губы.

— Как почему? — вытаращилась кругленькая Данилова. — Потому что Вероника Моткова... Она же... У нее же папа! Знаете, кто у нее отец? Вот и я не знаю. Никто не знает, но он у нее — о-го-го, такая шишка! Кстати...

— Зинаида, — быстро представилась новая барменша. — Зинаида Корытская.

— Да я знаю. Кстати, Зинаида, а где мои пирожные и кофе? Я вам уже заменитель достала... — обиженно проговорила она, устраиваясь на высокий стульчик возле стойки. — Так пить хочется! И есть так хочется... Всего так хочется... а вы ничего не подаете!

— Я сейчас приготовлю, мигом... — засуетилась Зинаида и ради нового знакомства даже бухнула Даниловой кофе из баночки с черной этикеткой. — Сейчас я вам натуральный кофе сварю, чего вам помои хлебать.

Данилова замахала руками.

— Не надо мне натуральный! Я такую гадость в рот взять не могу, сплошная горечь!

— Ну, тогда я сама его выпью. Вы не расскажете мне про работниц театра, а? Ну, хотя бы про вот эту самую Веронику... Она заместитель Ивской?

Данилова только что откусила от своего пирожного кусок и теперь чуть не подавилась от смеха:

— Ха! Заместитель! — проговорила она, как только расправилась с куском. — Это Верка-то? Нет, Веркой ее нельзя звать, обидеться может. А она у нас как-никак единственный парикмахер. И еще визажист. И еще папа у нее. Потом такого наворотит! Нет, с ней никак нельзя ссориться, поэтому и терпим ее выходки.

Зинаида фыркнула. Ей ни парикмахер, ни визажист особенно не требуется, красота, черт возьми, если она есть (а у Зинаиды этого не отнять), то она ни в каких Верках не нуждается.

— Вот уж, честно говоря, не стала бы приседать перед такой Вероникой только для того, чтобы она мне волосы хорошо чесала. Пусть даже на пару с папой! — не удержалась она. — Не со мной она дергалась, уж я бы нашла, что ей ответить.

— Да что вы! — чуть не упала со стульчика Данилова. — Не вздумайте! Я вам по секрету скажу: Вероника Моткова страшный человек! Страшный! Она способна на что угодно!

У Зинаиды ухнуло сердце. Вот оно! И Татьяна еще не знает, кто бы мог прикончить старушку... А тут, может быть, преступница прямо безнаказанно вихляется. Только бы еще узнать, зачем она удавила несчастную? Хотя, похоже, здесь и думать особенно не надо: сказала ей Софья Филипповна, что Веронике при ее внешности только багром работать, и все — пожалуйста, похоронили бедолагу.

— И чем же так страшна ваша Вероника Моткова? — равнодушным голоском спросила Зинаида.

— Ой, что вы! — испуганно вытаращила глаза Лидия Николаевна. Потом оглянулась и страшным шепотом спросила: — Вы никому не расскажете?

Зинаида торжественно помотала головой.

— У меня однажды с ней, с Веркой, столкновение одно вышло... — начала Данилова. — Не специально так получилось... Короче, я ей, вместо того чтобы бант на грудь пришить, назад его присобачила, ну, вы меня понимаете, куда, да? А Верка сразу и не схватилась, только после показа. Конечно, над ней там повеселились, сами подумайте — с ее фигурой банты на заднице крутить! А после показа она, естественно, мне пару волос выдрала, желчью поплевалась. Я подумала, что на этом все и кончилось, ан нет. Спустя неделю кто-то арбуз к нам притащил, уж не помню, кто — то ли Ивская решила сотрудниц побаловать, то ли бухгалтерша наша Ия Хорь решила зарплату арбузами выдавать. Короче, у нас в комнате персонала на столе лежал огромный арбуз. А я с детства к арбузам неравнодушна, да и не только я. Все наелись... А когда домой пошли, Моткова вместе со мной на остановку подалась. Я ей еще говорю, мол, чего на автобусе потащишься? А она: «У меня машина полетела». Я и поверила.

Зинаида напряглась. А Данилова с каждой минутой говорила все горше и печальнее:

— А у нас, знаете, рядом с остановкой стройка и забор. Стоим, ждем автобуса, его нет. И тут так мне приспичило, никакого терпежу нет. А Верка так сочувственно говорит: «Ты за заборчик иди, никто не увидит, а я посторожу, покурю». И ведь я ей поверила! — Данилова так расчувствовалась, что даже всхлипнула и впихнула в себя еще одно пирожное. — Да, поверила. Зашла за заборчик, только пристроилась, а Верка возьми и обопрись о забор! А он, гад, возьми и рухни! Все люди на грохот обернулись, и тут я во всей красе! Ой, да чего там... Теперь на другую остановку бегаю. И как ей после этого отпор дать?

Зинаида выдохнула. Она и впрямь поверила было, что Вероника Моткова совершила что-то страшное, а тут всего-навсего...

— А скажите, Лидия Николаевна, как вы думаете, Вероника может человека убить?

Данилова замолчала, вытянула шею и уперла глаза в нос. Так она в молчании некоторое время жевала свое пирожное, а потом вдруг поднялась и бочком-бочком посеменила из бара.

— Лидия Николаевна! Куда вы? А кофе чего ж?

— Я больше не хочу, — буркнула Данилова и унеслась.

Зинаида растерянно смотрела на остывший кофе в маленькой кружке и пыталась понять — отчего же так быстро убежала Данилова? Ее что, оскорбил вопрос? Или ей что-то известно?

Додумать Зинаиде Корытской не позволили. С гамом ворвались студенты, потребовали громкой музыки и принялись заказывать все, что стоило не больше десятки. Зал маленького бара моментально наполнился шумом, девичьим кокетливым смехом и томным бурчанием молодых парней. Прямо перед Зинаидой бурлила молодость, и она сильно пожалела, что не пошла в свое время в институт, не испытала этого студенческого братства... Пока она с умилением пялилась на молодых людей за столиками, другие молодые беззастенчиво таскали со стойки слойки с повидлом, так что пришлось ей потом еще и вкладывать свои деньги. Но это будет потом, а сейчас в баре нарисовался «оперный певец» во всем великолепии.

— Да, я шут! Я циркач! Так что же?! — громогласно заявил он в дверях.

Следующий час ушел на то, чтобы заставить «шута» расплатиться за съеденную овсянку. Спасла положение Татьяна. Она появилась в тот самый момент, когда оскорбленный Аркадий Валерьевич пылко упрекал Зинаиду:

— Как низко! Нет, как низко вспоминать о каше, когда я вам столько пел! Да после того, что между нами...

— Арка-а-адий Валерьевич! — радостно распахнула руки Татьяна, направляясь к нему. — О чем здесь разговор? Неужели о деньгах? Кстати, вы не знаете, что Елена Сергеевна придумала приз тому, кто больше денег оставит в баре? Пока лидирует Шиванищев.

Мужчина мгновенно развернулся на сто восемьдесят градусов и закричал:

— Человек! Челове-ек! Сколько я могу ждать расчета? Трясу, трясу тут деньгами, а они как будто никому и не нужны! Работаешь, работаешь...

Только к четырем часам поток посетителей иссяк, и подругам удалось поговорить.

— Тань, я ведь к дочери Софьи Филипповны ходила, — завела Зинаида вновь, когда дамы налили себе по чашечке кофе, выключили надоевшую музыку и устроились за барной стойкой.

— И чего? — с интересом, не то что утром по телефону, откликнулась Татьяна. — Я к ней тоже ходила, когда сама хотела расследование проводить. Ходила, только она мне какой-то странной показалась.

— Вот-вот, — закивала, отхлебнув кофе, Зинаида, — и мне. Я тебе потому и позвонила в пять утра. Ты знаешь, вот не чувствуется, что она смерть матери переживает. Стала мне какую-то историю рассказывать про то, как ей сказали, что Софья Филипповна умерла. Правда, в тот раз ошибка вышла, какая-то бичиха скончалась, но... понимаешь, Валентина обмолвилась, что не слишком и огорчилась! «Поживу наконец свободной», сказала. Понимаешь? И потом, какой-то у нее там мужик подозрительный на балконе болтался...

Татьяна слушала, молчала, только дергала бровями от удивления, а тут встрепенулась:

— Что за мужик?

— Да кто его знает... Во всяком случае, я не верю, что Валентина так уж и одна проживала.

Зинаида сунула в рот сухарик, пожевала, а потом начала с новым пылом:

— И ведь ясно видно, что боится! Вот скажи, Таня, чего она может бояться? Я обыкновенная девушка, без оружия, так чего она мне врала-то все время?

Татьяна тоже сунула сухарь в рот и тут же выплюнула — тот хоть и назывался «с грибным вкусом», а вкус имел прелых носков.

— Ну так... ты же не в гости пришла, а допрашивать. Поди-ка, еще и удостоверение показывала. У тебя есть удостоверение какое-нибудь?

— Откуда? — огорчилась Зинаида. — Я что, секретный сотрудник?

— Значит, купи! Сейчас в любом киоске можно

купить липовое... Знаешь, я думаю, Валентина знает больше, чем говорит. Не могла Софья просто так уйти из дома и ничего дочери не сказать. А может... может, дочь сама выгнала мать? — вдруг округлила глаза Татьяна. — Нам все время Софья говорила, что дочь одна проживает, а ты говоришь, что у Валентины мужика какого-то видела...

Зинаида трагически покачала головой:

— Правильно. Она выгнала мать, а там... Нет, Тань, опять не получается. Вот смотри: допустим, Валентина выгнала мать, и ту убили. Кто? Если случайный кто-то, зачем тогда на руке написал: «Я не такая», то есть название вашего театра? А если ее кто-то специально поджидал, ну, кто-нибудь из знакомых, тогда как он мог узнать, что Валентина выгонит мать именно в этот раз? Но, главное, что она отправила меня по какому-то левому адресу! А там никто и знать не знает про Софью Филипповну. И что теперь делать?

Татьяна только развела руками:

— Надо ехать к Софье по тому адресу, который я тебе дала. Я тебе сразу говорила. Эх, Зинка! — Татьяна потянулась, высоко задрав руки, и с шумом выдохнула. — Я бы и сама с тобой, но только Вадька... Мне для него то по аптекам приходится бегать, то супчики протертые готовить, чтобы на весь день хватило, то вот доктора эти...

Зинаида давно хотела задать подруге вопрос, но не решалась. Теперь отважилась:

— Тань, слышь чего, а твой Вадька и в самом деле ничего не помнит, а? Ну, хоть бы одного человечка разглядел...

Татьяна погрустнела:

— Знаешь, Зина, мне сегодня врач сказал, что у

него временная потеря памяти, амнезия. Вроде, нервная система так защищается, а то вспомнит он что-то не то, и тяжелое воспоминание на сердце может сказаться. Я уж и сама возле Вадьки и так, и эдак, а не говорит он ничего. Только хмурится да кричать начинает. А от крика у него давление поднимается, голова болит... Я уже и ночью пробовала, молчит.

Зинаида огорченно причмокнула языком. Да, против врачей не попрешь...

— Зин, давай скатерки поменяем, — поднялась Татьяна. — На этих, смотри, как будто слоны плясали...

Корытская посмотрела на подругу с грустью:

— Меняй, Танечка, конечно, меняй. А у меня сегодня еще важное дело. Я после работы по твоему адресу съезжу. Сама понимаешь, надо хоть немного сил набраться, не могу ж я вся измотанная перед людьми показаться!

Татьяна понимающе кивнула и достала из тумбочки чистые скатерти.

После работы Зинаида вышла из бара и остановилась. На какую остановку идти, на какой автобус садиться? И что Татьяна маршрут не написала, поленилась, что ли?

Позади нее вякнула машина.

— Зин, садись, — открыла дверцу «девятки» Татьяна. — Мы на колесах быстренько, а то чего тебе по темноте шарахаться?

Друзья, наверное, для того и придуманы, чтобы иногда облегчать нам жизнь. К такому выводу пришла Зинаида Корытская, но тут же этот вывод перечеркнула — вспомнила давнюю свою подругу Нюрку. Но в Татьянину машину, конечно, села, и очень

скоро они уже ехали по темному переулку, похоже-
му на деревенскую улицу.

— Это она в частных домах жила, что ли? — удивилась Зинаида.

— Ну да. И домик у нее был очень старенький,
надо сказать, — подтвердила Татьяна. — Странно,
между прочим, потому что Ивская нас хоть деньгами и не забрасывает, но Софье на квартирку вполне
можно было накопить.

— А может, вашей Софье хотелось в собственном доме жить? — рассудила Зинаида и туг же за-
молкла.

Они остановились возле огромной кучи сгорев-
ших бревен. Забор тоже наполовину выгорел, и было хорошо видно, что творится во дворе. Слабый
фонарь скупо освещал заросли бурьяна. В конце
двора кособочилось крохотное строение.

— Это что, туалет? — удивилась Зинаида. — На
улице? Да уж, для женщины в возрасте слабое удовольствие.

— Ну что, увидела? Теперь домой?

— Увидела... Только как же домой, если мы ничего не узнали? Нет, давай так: ты пошарься по пожарищу, а я пойду к соседям. Может, они что знают?

Татьяна заартачилась:

— Чего это я в темноте по пожарищу должна ла-
зить? Я боюсь. Пойдем вместе.

Зинаида открыла дверцу и еще раз взглянула на
бывший дом. Гнетущее зрелище. Если тем более
вспомнить, что под его обломками погибла женщина... Да еще этот бурьян вокруг? Хоть бы собачка
какая рявкнула. Все тихо и зловеще...

— Я вот чего подумала... — быстренько заговорила Зинаида. — По большому счету, что нам там

делать, да? Головешек мы не видели, что ли? Или ты все же желаешь прогуляться? Если хочешь, сбегай, я здесь подожду.

И она завозилась, устраиваясь поудобнее в автомобильном кресле.

— С чего бы мне желать прогуливаться по гари? Пойдем лучше вместе к соседям, — буркнула Татьяна.

Подруги выбрались из машины и направились к небольшой избушке с беленькими ставнями, стоявшей рядом с развалинами. Открыли им не сразу. Хозяева сначала долго смотрели в щелку, потом только, убедившись, что кроме двух женщин к ним никто не рвется, калитку отворили. Перед дамами оказался здоровенный мужик в растянутой майке, в красочных китайских шароварах и с топором в руке.

Увидев топор, Зинаида погрустнела и стала равнодушно поглядывать на облака, дескать, лично она на встрече не настаивает, но вот подруга, язви ее... Татьяна же добросовестно нахмурилась и принялась врать.

— Мы родственники Софьи Филипповны, — бодро начала она. — Нам нужно узнать, как все произошло? Вероятно, вы что-то видели или знаете. Нам бы хотелось поговорить. Нет, если вы нас впустить не можете, то сами выйдите, мы вас здесь подождем.

Зинаида глянула еще раз на топор и заходить в калитку ей решительно расхотелось. Пусть бы мужик и правда сам вышел.

— Выходите, выходите, — подбодрила она его жиденькой улыбкой. — Мы не укусим.

— А спробуй, кусни! — выставил мужик огромный, как тыква, кулак.

Татьяна ласково глянула на кулачище и печально проговорила:

— Вы же понимаете, нам не до шуток. Хотелось бы узнать, как погибла наша родственница.

— А хрен ее знат, как она погибла, — буркнул сосед. — Так и погибла... Я ужо сто разов все обсказывал. Ну, мы-то спали вначале, а потом мне на двор приспичило... Баба моя, дура, прости господи, квасу поставила. А на кой хрен квас, ежели вся жара спала? Но, ить, и не выльешь же его, дрожжей одних скоко угроблено, да ишо сахар. Ну, мы с ей весь день и давилися тем квасом, пропади он пропадом! У вас сигаретки не будет?

Татьяна быстро достала пачку. Мужик тут же радушно протянул Зинаиде топор со словами:

— Подержи, девонька, пока раскурю...

Зинаида двумя руками ухватила холодное оружие и теперь стояла, как солдат с секирой у царских палат.

— От язви тя... — раскурил сигарету и теперь разглядывал ее мужик. — Надо ж, кака вонь от этой соломины! А нормальной нет?

Татьяна виновато затрясла головой:

— Нет, у меня только такие, с ментолом. Но вы рассказывайте, я потом съезжу, куплю.

— Дык а чего рассказывать? Я грю, выскочил по нужде-то, стою, значит... Гляжу — дым от соседей валит. Сначала думал, сосед Михей курит. Вот не поверишь — как зачнет он свой самосад смолить, так его изба — чистый Курильский остров! Я на его и подумал сначала, ага. Потом гляжу: нет, не от Михея дым, ближе. Думаю, неужто Лукинична под старость лет табаком стала баловаться? Ну, эт я со сна дурканул, забыл, что Лукинична-то уж три года как померла, а вместо ее дочь ейная Софья тут пребыват...

— Так-так-так, — встрепенулась Зинаида. — А можно подробней? Что за дочь? И почему пребывает?

Мужичок поежился и покосился на машину:

— Я обскажу, токо давайте к вам в машину сядем. Я ить не пингвин какой, на холоду тут в майках выступать. А ищо... Вы б мне хоть для сугрева налили...

Татьяна немедленно распахнула дверцы:

— Садитесь. И ты, Зин, садись... Ну куда ты с топором-то? Хотя ладно, лезь на заднее сиденье. Садитесь, мужчина, и говорите дальше, а потом съездим, купим вам для сугрева.

Мужчина в машину сел, но говорить отказался:

— И чего ты мне, девонька, все «потом» да «потом» обещаешь? И сигареты — потом, и водка потом. А почему я говорить сейчас должен? Я тоже потом буду! Вот сяду и рот не открою, пока в киоск не смотаемся!

Мужик и впрямь важно уселся, свернул на груди руки кренделем и принципиально замолчал. Татьяна только вздохнула и завела двигатель.

У ближайшего киоска мужчина выскочил и, пугая продавца здоровенным торсом в растянутой майке, принялся тыкать в витрину. Себя он не обидел — и водочку выбрал недешевую, и сигареток заказал две пачки, да еще и чипсов прикупил, пояснив: «Это чтоб с голоду мне не помереть, пока вам все обскажу».

Татьяна снова подрулила к дому рассказчика и терпеливо стала ждать, когда тот «примет семь капель», закусит чипсами, а потом еще и дымом затянется. Мужик млел и, похоже, вовсе забыл, для чего здесь находится. Зинаида не выдержала и тюкнула собеседника обухом топора в плечо:

— Дядь, это ж тебе не ресторан! Говори давай, что дальше-то было? Ну, понял ты, что это не Лукинична, а Софья... И дальше чего?

— А ничего! Чего топором-то машешь? — обиделся мужик. — Ничего дальше. Ну, я мобильник схватил и в «пожарку» позвонил. А там уж они сами... Потом гляжу — «Скорая», милиция. Короче, спать нам так и не дали. Я вот думаю — ежли на их за ту бессонную ночь в суд подать, а? Нынче така передача идет по телику, там за что хошь деньги дают. А уж ежли человек ночь в беспокойстве провел, так я думаю — пожизненную пенсию надо стребовать, да?

Татьяна уже сдерживалась из последних сил — на пять минут вырвалась, Вадька дома один, а этот... Зинаида и вовсе не стала слушать оратора.

— Это вы на что намекаете? Если мы вас сигаретами угостили, так и пенсию вам должны выколачивать? Да вы еще ничего толком и не рассказали! Вот, к примеру — кто такая Лукинична? Почему здесь стала жить Софья? Кто приходил к этой самой Софье? Ну?

Мужчина загрустил. Похоже, все что знал, он уже выдал, а теперь и не знал, что бы еще такое рассказать, потому что он, дурак, не догадался попросить еще и пивка для утрешнего настроения. И теперь мучительно соображал, чем бы угодить дамочкам.

— О! — придумал он. — Я-то ни хрена не знаю про ваши бабьи финтиля, а вот баба моя, та все знат! Давайте-ка я ее крикну... Надька!!! На! Дю! Ха!!! —

тут же заорал он так, что в соседних домах зажглись окна. — Надька, ядрена баба! Выдь, муж зовет!!

Какое-то время в доме наблюдалось затишье. Потом заскрипела калитка, и на дорогу вышла щупленькая женщина в старом ватнике и в огромных калошах на босу ногу. Она повертела головой, пытаясь сообразить, откуда это ревет ее суженый и, завидев мужа в машине, бойко двинулась к двери.

— Надежда... — распахнула заднюю дверцу Зинаида, желая пригласить возможную свидетельницу в салон, чего ж ей морозиться.

Но женщина, которая, к слову сказать, оказалась достаточно молодой, всего лет тридцати пяти, уставившись на даму в автомобиле, вооруженную топором, отреагировала весьма странно. Она вдруг радостно разулыбалась и с надеждой в голосе, заикаясь, пролепетала:

— Де-девоньки... вы чего, моего Вовку того? Спереть собираетесь? Вы его в заложники, да? Ой, надо ж, дело-то какое... — Женщина от растерянности хватала себя то за воротник, то за карманы, пыталась спрятать довольную улыбку, но радость так и брызгала из глаз. — Девоньки... вы подождите, а? Я быстренько... Только сразу говорю — у меня денег за него нет! Подождите, я сейчас...

Подруги еще ничего не успели сообразить, а она уже отбежала к соседнему дому и заголосила не тише своего мужа:

— Лилька!!! Лилька бешеная килька! Выглянь в окно-то! Видала?! Вовку мово-то бабы украсть решили! Воруют, грю, мово-то! Я те всегда говорила — мой Вовка пошибче твоего задохлика будет! А ты все «Антосик», да «Антосик»... Только твой-то долгоносый никому и не сдался, а я за свово счас деньги стрясать зачну!

Затем с чувством исполненного долга Надежда ринулась к машине:

— Чего вы, девоньки? Значица, Вовку моего забрать решили? Токо вы мне сразу обскажите, вы как хотите: мне за его деньги дать, или чтоб я вам за его дала? У меня нет, лучше даром берите!

— Надьк! — выкатил глаза Вовка. — Чо позоришь-то, не пойму? Люди к тебе по делу, а ты с деньгами!

— А и я по делу, — точно сорока, закрутила головой маленькая женщина. — И я тоже. Токо без денег каки ж дела? Девоньки, давайте лучше вы мне за его заплатите, в ем же одного живого весу сто килограмм! Я вот этой осенью кабанчика продавать буду, так за его три с полтиной взять хочу, не деру, побожески. А тут все же человек... Правда, пьет, как свинья, да жрет, как боров... Так за десятку отдам, забирайте! Десять тыщ, тако мое слово!

Здоровенный Вовка такого предательства от жены не ожидал и теперь пытался развернуться с переднего сиденья, чтобы навернуть неверную кулаком. Но та сама лихо долбила его сухим кулачком и торопила:

— Так вы берете? Чего думать-то, я уж и соседей предупредила! Да уймись ты, холера! Счас ногой пну!

Здоровенный Вовка примолк и уставился в окошко. Он бы уже давно схватил бутылку, чипсы и выскочил бы из машины, но в нем еще не погибла надежда заполучить потную бутылочку пивка.

— Надежда, — сурово начала Татьяна, затянув

женщину в салон. — Мы с вами поговорить хотели. С мужем вашим мы уже побеседовали...

— А-а-а, так это он первый с вами сторговался, меня надумал сплавить? — снова прорвало даму в ватнике. — А я тебе, Вовка, так скажу: ты без меня и дня не протянешь! Скотину кто кормить будет? А коров кто выгонять станет?

— Молчать!!! — рявкнула, не выдержав базара, Зина.

Все участники сцены немедленно притихли. Даже буянка Надежда сообразила, что человека с топором не следует нервировать.

— Кстати, про коров, — заговорила вновь Зинаида. — Вот мы тут с вами вроде в городе находимся, а в то же время как будто в глухой деревне. Какие коровы? Куда вы их гнать собрались? В Центральный парк, что ли?

Надежда покрутила пальцем у виска:

— Я чего, совсем дура, да? Их же там сразу на говядину пустят, только выгони! Не-е-е, мы своих буренок в овраг пускаем. Или вот еще на пустырь, вон туда если пройти...

Зинаида посмотрела туда, куда показывала Надежда. Да, примерно в том направлении находится кафе «Французская лягушка». Так вот откуда взялся бык...

— А коров только вы выгоняете? — уточнила она.

— Да прям! — фыркнула женщина. — У нас тут все держат. А как жить-то? Вон, опять слышала — бензин подорожал, значица, все взлетит — и тебе хлеб, и молоко, и продукты разные. А и как прожить, ежли у меня мужик только под водку струган? И не токо у меня. У Лильки вон, мало того что пьет, так ишо и по бабам бегат!

— Да каки тут у нас бабы? Старухи одни, — презрительно хмыкнул Вовка. — К кому бегать-то?

— Как к кому? А я? — оскорбилась Надежда. — Нет, без скотины никак. У меня ишо и свиньи.

Татьяна решила, что скотный вопрос уже решен, и перешла к главному:

— Расскажите, а кто с вами по соседству жил?

— А почемуй-то я должна рассказывать? — отвернулась к окну женщина.

— Ты, Надьк, не ерепенься! — вдруг обозлился глава семьи. — Люди спрашивают, так ты сделай им приятное — отвечай. А оне увидят наше расположение и купят нам бутылку пива. Две.

Надя лихо съездила в очередной раз кулачком муженьку по макушке и стрельнула глазами:

— А порошка стирального могете купить? Или лучше «Ваниша», а? По телику показуют, что все пятна он выводит, а я хотела попробовать, да денег жалко. Купите? Я даже знаю где — вон в том магазинчике есть, он у нас круглосуточно работат.

— Купим, — не выдержала Зинаида. — Рассказывайте, кто с вами жил по соседству?

Надежда отнеслась к вопросу серьезно. После того как ей пообещали пятновыводитель, она добросовестно стала его отрабатывать. Для начала она сосредоточилась, то есть закатила глаза, зашевелила губами и поправила ватник.

— Значица, как все получилось? — принялась она разъяснять. — Здеся, вон в том доме, всю жисть жила Евдокия Лукинична. Бабка была — ничего плохого и не скажешь. Крутилась чего-то, толклась, а потом взяла и померла. Токо хата от ее и осталася. А дома тута уже нами давно прихватизированы. И ее тоже. Значица, и получается, что дом по наследству

перешел к ее дочери, к Софье. Ой, эта Софья...
Слышь, Вовка! Я грю — ой, эта Софья! — тюкнула
Надежда супруга по затылку. — Помнишь, кака
смешна всегда! Сама толстенька, маленькая така, с
пуговицу, а каблуки огроменные нацепит, нос задерет и ну грязь месить! Прям, шоу на ходулях! Смешно... — Тут Надежда, видимо, вспомнила, что о по-
койниках либо никак говорить не положено, либо
только с уважением, снова одернула ватник и горько закончила: — Но мы не смеялись. Мы Софью-то
знали, раньше видели, кода приезжала она к матери. А тут к ей, значица, дом-то перешел, и она в его
и вовсе переехала.

— А откуда она переехала, вам не известно?

Надежда замолчала, потом огорченно долбанула
себя по коленке:

— Вот ведь не спросила! Ну чего бы, дуре, не
спросить, а? Нет ведь, не спросила, не узнала! А теперь не купите «Ваниш»-то?

Зинаида только махнула рукой:

— Да рассказывайте уже что знаете.

— Ну и вот, — торопливо продолжала женщина. — Значица, переехать-то переехала, а жить не
больно-то и рвалась. Нет, кажный день здеся появлялась, а как вечер, так — фить, и отбывала. У ей
же дочка была, у Софьи-то, вот она у дочки и ноче-
вала. Нет, правда, ежли каку пьянку собрать или там
гульбище, это Софья завсегда здеся, а ежли все по-
мирному, так чаще у дочки была. Говорила мне, что
тута ей одной страшно. А чего бояться-то? Можно
подумать, на ее кто клюнет здеся? Мой, например,
никогда, кроме меня, ни на кого не взглянет. Так
же, Вовка?

Вовка поспешно мотнул головой.

— Вот я и говорю! — продолжала Надя. — И Лилькиному Антохе тоже, окромя меня, никто не нужон, даже Лилька. А уж Софья и вовсе не красавица была, да и лет ей...

Тут Вовка вдруг напрягся — что-то в словах супружницы его насторожило.

— Слышь, Надьк, ты чего там про Антоху-то ляпнула? — медленно стал он к ней разворачиваться.

Но маленькая женщина нисколько не испугалась громилу-мужа. Лихо треснув его по темечку, чтоб не мешал зарабатывать иностранный отбеливатель, она отмахнулась:

— Ой, да про какого Антоху? Я про Софью! И чего боялась, грю, кто б на ее позарился?

— Но ведь не зря, выходит, боялась? — поддела ее Татьяна.

— Ну, выходит, не зря, — легко согласилась Надя. И тут же добавила: — Токо это не считается, это ж не мужики!

— А кто? — уцепилась Зинаида. — Вы видели — кто?

— А чего видеть-то? Она ж сгорела. Или нет, постойте-ка... У нас говорили, что ее придушили сначала, — вспомнила Надя и еще решительнее помотала головой: — Тода это точно не мужики. Это убивцы.

Татьяна с Зинаидой переглянулись. Зинаида крепче обняла топор и вдруг спросила:

— Я вот о чем подумала... Ведь если Софья так боялась оставаться в доме, почему она не продала его никому? Или бы семью какую пустила...

Надежда радостно фыркнула и ткнула Зинаиду в плечо:

— Да ты чо! Совсем ничо не знаешь, что ли? Нас

же сносить собираются! А с чего б я, по-твоему, свинью колоть собралась? Нет, нас в следующем квартале сносить будут, квартиры обещали новые. Зачем бы Софье дом продавать? А пускать кого сейчас боязно — документики подделают, и прощай новые хоромы! Нет, наши все каждый за свой дом держатся, никого не выманишь. Вы к нам через месяц приезжайте, здеся все скотину будут колоть. Токо мы корову продавать пока не будем и колоть тоже. Вдруг на первом этаже квартира выпадет...

Но мясная тема подруг не интересовала, их волновала Софья.

— А вот вы про гулянки говорили, — вернула Надю к теме Зинаида. — А часто они у нее случались?

— От уж хрен! — вскочил Вовка. — Ни фига не часто! Один токо раз и была, я считал. Это она кого-то с работы приводила, что ль... Славно так гуляли, пели, пили... Почти до утра сидели, я слышал. Ишо подумал, ежли ишо раз соберутся, всенепременно сам к имя прибуду. А потому как сосед, имею право! А оне и не собралися.

— Ага, точно, не собиралися больше, — подтвердила жена. — И ваще, к ей даже гости не приходили. Я не видела.

— А я видел! Как-то калитку открывала бабе какой-то, — снова встрял Вовка.

Мысль о «Ванише» ему не нравилась, куда как приятнее было бы купить пивка, но Надьку не переспоришь. Тогда, может быть, гостьи сами увидят, что его следует поощрить?

— Молчи уж! Открывала она... Дочка это была Софьина. Дочку и я видела, удивил, — фыркнула

Надежда. — Точно, она тута появлялась. Но тоже нечасто, токо в хорошую погоду.

— Это ж почему? — вздернула брови Татьяна.

Надежда на всех посмотрела немножко свысока, дескать, где б вам догадаться, ежли б не ее наблюдательность, ее ум, а также сообразительность!

— А потому! Дом-то частный, почитай, в деревне находится. Вот она и приезжала сюда, чтоб позагорать. И ишо у нас молоко иногда брала, раза два, наверное. А в плоху-то погоду чо здеся делать?

— А в последний день, вы не видели, к Софье никто не приходил? — допытывалась Татьяна.

— Не, не видела. В последний день я токо пожар усмотрела. Я воопче думала, ее и нет там вовсе, а милиция приехала, и оказалось — там она. Прям така неприятность...

Зинаида с Татьяной все же купили Надежде «Ваниш». А Вовке больше ничего не обломилось — жена сунула ему под нос сухонький кулачок, и здоровенный детина вмиг скис и растерял боевой задор.

Глава 4

Рожденный болтать молчать не может

Домой подруги подъезжали уже в десятом часу.

— С ума сойти! Знала бы, что эта семейка так нас мурыжить будет, ни за что бы не поехала, — ворчала Татьяна. — Столько времени Вадька с Леонидом.

— А не поехала бы, и не узнали б ничего, — отозвалась Зинаида. — Разве б я одна с ними управилась?

— А что узнали-то? Только больше запутались...

Зинаида снова припала к топору. Как-то за всеми разговорами никто и не догадался вернуть его хозяину, и теперь Зинаида с ним почти срослась.

— Тань, и что получается? Софье по наследству достается дом...

— И Валентина про него знает, непонятно только, почему тебе ничего не сказала, — добавила Татьяна.

— Да, Валентина про него знает. Мало того, она даже несколько раз туда приезжала... Тань, а это не Валентина ли, а? Ну, в смысле, мать прикончила...

— Ты у меня уже спрашивала.

— А, ну да, она тебе говорила, что не убивала...
И все же, смотри...

Зинаида подпрыгнула от неожиданной догадки,
лихо шибанула подругу по плечу, и та резко дернула
рулем, вильнув чуть ли не на встречную.

— Смотри! Если дом перешел в наследство к Софье, потом он перейдет Валентине. Так? А если до-
мишко к тому же обещают снести, то очень неплохой повод получается!

Татьяна теперь ехала тихо, каждую минуту ожи-
дая от подруги новых шлепков. Почти ползком она
подкатила к дому Зинаиды, все мысли ее уже унеслись к сыну, и раздумывать над происшествием не
хотелось. Однако и от Зинаиды не так легко было
отвязаться.

— Это, Зина, называется притягивание версии
за уши. Зачем Валентине какой-то «неплохой повод», если у нее своя собственная квартира есть?
Нет, я понимаю, лишняя жилплощадь никогда не
помешает, но ведь Валентина должна понимать, что
на нее первую падут подозрения. Она бы тогда скорее придумала матери какой-нибудь сердечный
приступ устроить. И при чем тут «Я не такая»? Не
забывай — у Вадьки на руке ведь то же самое написано. Выходит, преступник — тот, кто избил его и
убил Софью.

Зинаида вздохнула и полезла из машины.

— Ладно, Тань, спасибо, что подвезла. Ты завтра
с утра?

Татьяна мотнула головой и вдруг вспомнила:

— Зин, слушай, закрутилась, чуть не забыла!
Завтра у нас такой день... В субботу в театре показ,
я, помнишь, тебе рассказывала, что два раза в месяц
у нас показы мод проводятся. Так вот, завтра вече-

ром обсуждение будет, а обсуждать любые вопросы наши дамы привыкли в комфорте, за рюмочкой чая и при тихой музыке, то есть в баре. Так что ты учти — чтобы ни опозданий, ни задержек, ни, боже избавь, плохого настроения. Все. Готовься.

— Ой, Таня! — крикнула Зинаида, когда подруга уже собралась отъезжать. — Тань! А может... может, Валентина и твоего Вадьку, а?

— Совсем спятила? Зачем? Он и не знает ее даже.

Дома царила тишина. Юлька не выбежала встречать к порогу, как обычно бывало, Игорек не вышел поздороваться, хотя за дверью ребят кто-то сдержанно хихикал и бубнил: «Ну тише ты! Сейчас все испортишь! Возьми вон мой носок, рот прикрой». В прихожую пришагал только Мурзик, уселся на хозяйские тапки и лениво щурил янтарные глаза.

— Странно, что это мои постояльцы не показываются? Обиделись, что ли? Мурзон, немедленно рассказывай, по какому случаю обида и где борщ? — спрашивала с кота хозяйка, скидывая сапоги.

Ребята должны были понять, что пришла хозяйка, Зинаида отчетливо слышала, как Юлька фыркает и чихает, однако выходить не торопились.

— Может, и к лучшему, — подумала Зинаида и прошла к себе.

Едва она распахнула дверь, как поняла: случилось непоправимое! Когда она уходила, в комнате все оставалось на своих местах, сейчас же не было самого главного — деревянной кровати Зинаиды. Вместо нее высилось какое-то древнее, железное убожество с острыми кольями на спинках, с высокими тонкими ножками, неумело покрашенное и